〝ソーガキ〟で極める
工具道

通のツール箱

松本英雄
Matsumoto Hideo

はじめに

いま僕たちの身の回りにあるクルマや家電製品のほとんどはメインテナンスフリーです。工具を手にする機会なんてありません。

でもセルフビルドの棚を組み立てるなど、年に何度かはネジ回しといった身近な工具を使うことがあるでしょう。そんなとき、あなたはどんな工具を使っていますか？

おそらく使えればいいという程度の間に合わせの工具でしょう。たいして使いもしない工具に、お金なんて掛けられない、という気持ちは当然です。

でも騙されたと思って、ぜひ一度、一流ブランドの工具を使ってみてください。きっと、軽自動車から1000万円級の高級セダンに乗り換えたくらいの感動を覚えるはずです。そんな工具の素晴らしい世界を皆さんに知っていただきたいという思いを込めて、僕はこの本を書き上げました。

と、いかにももっともらしい大義名分を謳ってみましたが、実はこの本には能書きを並べて見栄を張りたい、という第二の目的があります。工具に詳しくなって自分の知識を吹聴したい、というよこしまな目的を持った人のために、すぐに使えるようなウンチクを盛り込みました。たとえば、どこそこのペンチは何年前に誰が発明したとか、あの機能はどこが特許を持っているとか、この業界用語を使えばプロっぽく見えるとか、直接メカいじりには関係がないけれど、知っているだけで嬉しくなるような知識です。

とはいえ、もちろん実際のメカいじりにも役立つはずです。宮内庁御用達だったメカニックの海野氏をはじめ、いすゞ自動車のワークスラリーチームのエンジニアの方々や、自動車メーカーの開発技術者の方々など、幸運にも、僕は多くのプロのメカニックのもとで学ぶ機会に恵まれました。黒光りした60年前の古い工具から、F1エンジンを組み上げるために使われる最先端のトルクレンチまで、様々な工具に触れることができたのです。

この本は、そんな経験をもとに書いたものです。よい工具の見分け方や、通が選ぶ一流工具、そしてプロならではの使い方などについても詳しく触れていますから、知恵袋的な本としても使えると思います。

現在、僕は工業高校の自動車科で整備の実習を教えています。でも、鼻息を荒くして工具の使い方を学ばなくてもいいと思っています。格好からでもいいじゃないですか。工具には、長い年月をかけて積み上げた歴史があり、それだけに面白いストーリーがたくさんあるのです。工具のノーガキを語れば、語ったからには腕も身につけないと……、と思うかもしれません。

ここでノーガキを語っても仕方がありませんね。軽い気持ちで、しばしの間、お付き合いください。

もくじ

2章　ガレージの中はノーガキの宝庫Ⅰ——49

3章 ガレージの中はノーガキの宝庫Ⅱ

4章 小物＆ケミカルでもノーガキは語れる 113

1章

車載工具でノーガキを語る

万能の猿

アジャスタブルレンチ(モンキーレンチ)

今でこそたくさんの工具を揃えてクルマを直したりいじったりしていますが、僕のテクノロジーへの興味はいたって身近な道具から始まりました。

小学校低学年のころ、家にある健康マシンやら裏庭のスクーターやらを分解したり組み立てたりするのが楽しくてたまらなかったのです。

お気に入りは〝モンキー〟という親しみやすい名前のついた工具。これ1本で僕の分解組み立ての世界は無限に広がりました。

これがあれば何でも回してはずせる！　しかもたいして力はいらない。やみくもに回し、緩んだら「やった！」という満足感が得られる。

こんなことが、たったひとつの工具でできてしまうのだから、子供の僕が惚れ込んだのも不思議ではありません。とにかく、モノを壊したり組み立てたりすることが楽しかったものです。けれど、わざわざジャストサイズのレンチを探さなくても、とりあえずボルトやナットを回せるのは子供でなくとも嬉しいものですよね。

モンキーの使いみちはほかにもあります。たとえば、ネジ回しの柄の部分をモンキーで挟んで回すワザは、固いネジをはずすときには結構使えます。手で回すより、ずっと大きな力をかけられます。また、鉄板を曲げるときなども、板をモンキーで挟めば驚くほどキレイに曲げられます。守備範囲が広い工具なのです。

ただ、モンキーには守らなければいけないオキテがあります。それはモンキーの可動部分を動かしたい方向にセットすること。決して逆向きにセットして回してはいけません。隙間が大きくなってしまって接触面が小さくなり、その結果ボルトやナットを変形させてしまう恐れがあるのです。いわゆる〝なめる〟というヤツです。

また、力のかけ具合も重要です。メガネレンチなどは一気に力をかけることもありますが、モンキーの場合はジワジワと力をかけてナットの様子を見ながら緩めたり締めたりしなくてはいけません。瞬間的に大きな力をかけるのは、モンキーにもよくありません。モンキーは、見てのとおり、数点の小さいパーツで構成され、どんなサイズにも対応する口になっています。ですから、瞬間的に大きな力をかけてしまうと、パーツがすり減ってしまい、工具の精度が低くなってしまいます。逆向きにセットしない。瞬間的に大きな力をかけない。この2つのオキテを守れば、モンキーは最高の相棒になるはずです。

そのモンキーレンチは今から100年以上も前にスウェーデンで生まれました。生みの親の名はバーコ社(Bahco)。ブランドだけでなく、値段といい性能といい、現在でもここのモンキーレンチは一番のおすすめです。精度が高いのでガタつきが少なく、ボルトやナットへのダメージを最小限にとどめてくれるでしょう。

ほかにおすすめのモンキーというと、泣く子も黙る永久保証のスナップオン(Snap-on)。値段は少々張りますが、握った感触がしっとりとして、特にアジャスト部分の動きに重厚感があって滑らかなのです。僕がもっともよく使うモンキーは、このスナップオンです。

モンキーは正式には〝アジャスタブルレンチ〟といい、口の開きを自在に調節できることを意味しています。〝モンキー〟というのは、頭の部分がサルの顔に似ていることからイギリスで付けられた名前だそうです。俗称のはずですが、日本ではなぜか正式名称としてＪＩＳ（日本工業規格）にも登録されています。

回すより、押すべし！

スクリュードライバー（ネジ回し）

僕の親父は、よく自分で色々なカクテルを作っていました。その中で、子供ながらに「おいしいかもしれない！」とそそられたのが、〝スクリュードライバー〟。プロレスの技のような音の響きと「バヤリースオレンジよりうまいぞ！」という魅惑的な言葉が、子供の僕を引きつけたのかもしれません。

〝スクリュードライバー〟は、本来は日本で〝ネジ回し〟と呼ばれている工具です。しかし、昔アメリカ人の工員がオレンジジュースとウォッカをかき混ぜるため工具袋からネジ回しを取りだして使ったことから、カクテルの名前の由来にもなっています。

夕暮れどきに仕事を終えて、オレンジ色に光る飲み物をネジ回しでかき混ぜる情景は、考えただけでもワイルドですね。おそらくグリップは素朴な木製であったにちがいありませ

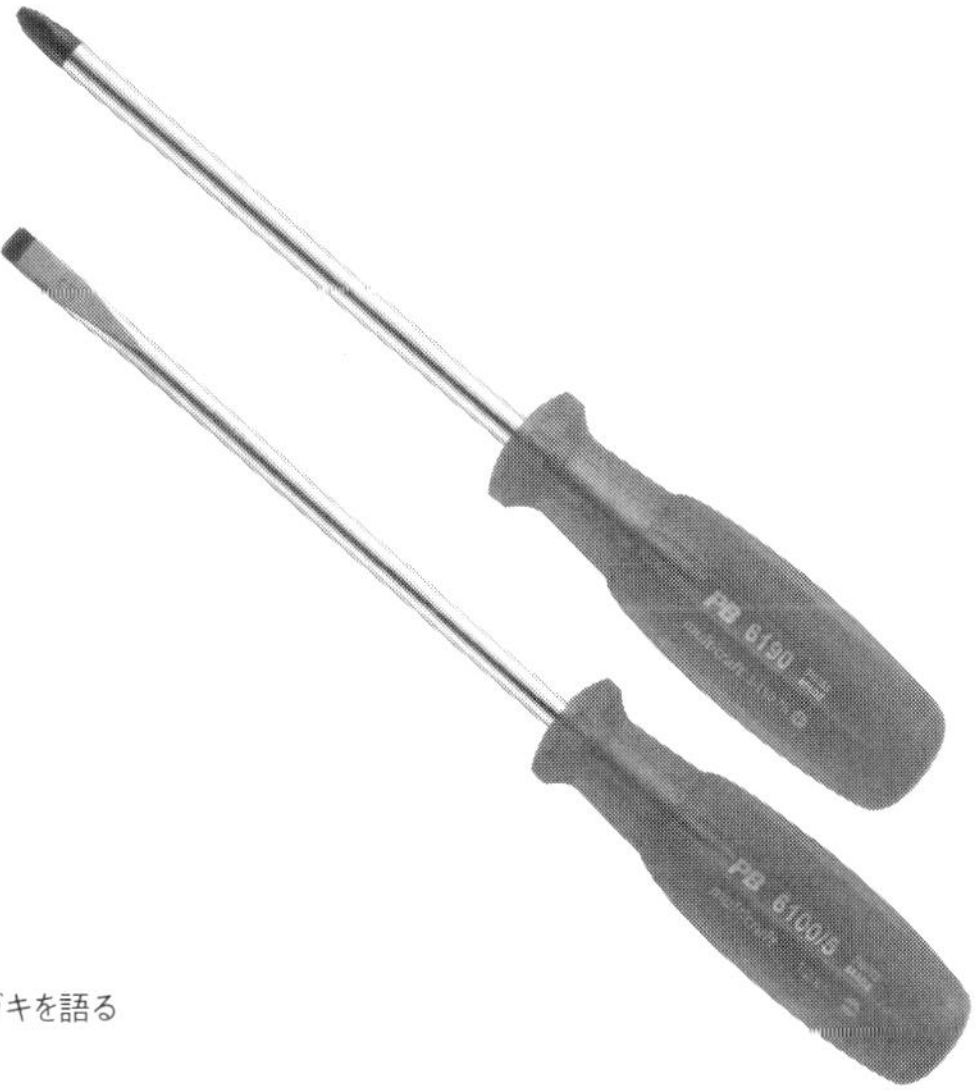

ん。今でも木製グリップは使われますが、素朴さというより高級感を演出するために使われているようです。好みの木目を選ぶのも楽しいものですが、ドライバーはネジにピタリと合って確実に回すことができるのが一番です。

そこでぜひ揃えてもらいたいスクリュードライバーは、プロスペックでレーシングメカニック御用達にもかかわらず、比較的安価なスイスのＰＢボーマン社（PB - Baumann）製（以下、ＰＢ）です。ＰＢのよさは、何といっても独自の先端部分。ネジの溝を傷めにくく、力が均一にかかるパラレルシェイプは他社にはみられないものです。マグネットを使っていないにもかかわらず、はずしたときに先端に吸い付いているネジを見ると、その精度に驚かされます。マグネット付きのスクリュードライバーは便利ですが、いまひとつ本物感を味わえません。

ネジは工具に比べて柔らかい材質で作られているので、工具と合っていないとすぐにネジ溝が壊れてしまいます。ＰＢのマイナスドライバーはすみっこに少し丸みがあり、ネジを傷めません。本来はそのような使い方はしませんが、僕はガスケットなどのちょっとしたパッキン類を剥がすときにこのマイナスを使うことがあります。アルミなどの柔らかい材質に傷を付けにくいという、優しい作りなのです。

錆びていたり古くなったりしてはずしにくいネジを回すのは、とても不安です。その不安を少しでも解消する方法を紹介しましょう。先端をネジの溝にはめたら、軽く左右に動かします。ここでピタリと合っていてガタ（クリアランス）がなければ、あとは力のかけ具合。このとき、回すことばかりに頭がいってしまい、押すことがおろそかになってしまいがちです。ネジを回すには、回す力よりも押す力のかけ方が重要なのです。だいたい回す力が3、押す力が7ぐらいが理想だと思います。

スクリュードライバーは、できればプラスとマイナスを3本ずつ揃えたいものです。しかしそれほど頻繁に使わないのであれば、ＰＢの差し替え式も選択肢に入ります。比較的コンパクトに収納できるので、特に家庭用におすすめです。

スクリュードライバーにはマイナスとプラスがありますが、もともとはマイナスしかありませんでした。プラスは、アメリカ・オレゴン州に住む発明家ヘンリー・Ｆ・フィリップスが作り、１９３６年にアメリカで特許を取得しました。ＪＩＳではネジ回しというとマイナスのことで、プラスのことは〝十字ネジ回し〟ということになっています。今はドライバーと呼ぶ人が多いですが、あえて〝ネジ回し〟というほうが正確だし、むしろ通っぽいかもしれません。

工具の代表はデリケート
スパナ

象形文字を見ればわかるように、カタチで表わすと言葉より感覚的に理解することができます。鍛冶屋さんは鉄の台とハンマーがトレードマークだし、レストランならナイフとフォークですね。

そして、〝スパナ〟の絵が描いてあれば、それは「クルマの修理できます」という意味。以前はハイウェイのサービスエリアの入り口や、ガソリンスタンドでよく見かけたマークです。クルマが故障したとき、このマークを見つければひと安心です。

工具の代表と思われているわけですが、実はスパナだけでボルトやナットを回すのは簡単ではありません。

スパナはボルトやナットを2点だけでとらえる構造になっています。ですから、力を加

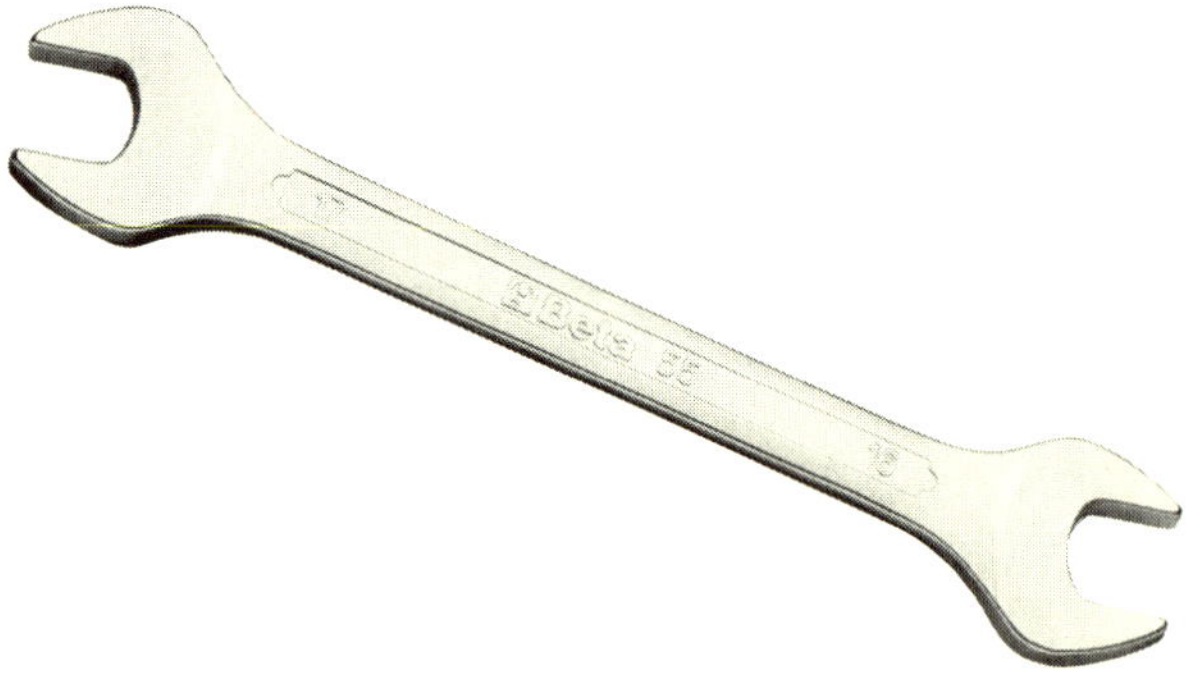

えたときに、開いている口の剛性を保つのが難しいのです。無理をするとアッという間に変形してしまうほどデリケート。そんなスパナにこそ良質の素材や精度の高さが要求されるわけです。

しかし、丈夫さだけを基準に選ぶのは安易というもの。見た目や握ったときの感覚も重視するのでなければ、ホンモノとはいえません。

おすすめのスパナはイタリアのベータ社(Beta)。F1でも使われているベータのスパナは、細かな作業に向いています。見た目は、薄くてスタイリッシュ。華奢なようですが、強度は十分です。コンパクトに収納できるので、工具にありがちな雑然とした感じにならないのも嬉しいですね。

極めて薄いので、力を入れるとちょっと痛いかもしれません。はじめは正直言って違和感があるかもしれませんが、ボルトとナットを回す感触を手と腕にダイレクトに伝えてくれるフィーリングはベータならではです。〝感覚の工具〟と言ったところでしょうか。

ほかのお薦めスパナといえば、ドイツのスタビレー社(Stahlwille)のもの。ベータに比べ価格は少々高めですが、触ったときのしっとりとした質感は、ゴージャスです。また、早回しがすこぶるやりやすいところなどは、プロ好みといえます。

外で緊急に作業をしたとき、ボルトに合うサイズのスパナがなかったことがあります。隙間に合わせに、一つ上のサイズをあてて隙間にアルミ缶を切ったものを挟み、ガタをなくして使用しました。こんなときは、スパナとボルトの間に隙間を作りアルミの板を入れるのがコツ。アルミは柔軟なので、ボルトやナットに馴染んで傷めることがありません。これはもちろん緊急避難であって、普段からこんなことをしてはいけません。

ブランドが違っても、同じサイズ表示なら開き口の寸法が同じかというと、そうでもありません。可能であればボルトやナット部分にスパナを入れて、ガタ(クリアランス)の感触を感じてもらいたいと思います。いいスパナは、スッと入りながらガタが少なく、確実にターゲットをとらえます。これを覚えておけば、良質なスパナかどうか判断できるはずです。最近では、感触を確かめてもらうためのお試し用ボルトを置いてあるショップも少なくありません。ぜひ手応えを確かめて、自分の感覚に合ったスパナを選んでください。

ちなみに、ボルトやナットを締めたり緩めたりする工具をイギリスではスパナ、アメリカではレンチと呼んでいます。僕が幼稚園児だった頃、兄にクルマいじりの手伝いをさせられ、「ヒデオ!そこにあるスパナレンチ取ってくれ!」と、よく言われたものですが、本当は、そんな名称はないんですよね。

化けの皮は剥がれません

六角レンチ

英語で五角形を意味するペンタゴン(Pentagon)といえば、アメリカ国防総省の建物ですが、六角形を意味するヘキサゴン(Hexagon)といえば、六角レンチでしょう。

メカニックの現場ではヘキサゴンは、ヘックス(Hex)とも呼ばれています。また、スクリュードライバーや、スパナと並ぶくらいよく知られた工具で、ホームセンターに行かずとも100円ショップで手に入れることができますし、セルフビルドの家具などにも付属していることがあります。

そんなどこでも手に入るヘキサゴンですが、安モノには、ボールポイントが付いていません。ボールポイントとはヘキサゴンの角を落として球体のように成形した先端のことで、

L字型の長いほうの先端に付いているアレです。角を落とすことで、斜めからの角度でもネジのヘッドに簡単に収まり回すことができるため、ヘッドにヘキサゴンが届きにくいときに重宝します。ちなみに、ボールポイントは、1964年にアメリカのボンダス社(Bondhus)が発明し特許を取得した形状です。

本家本元のボンダスをはじめ、現在では世界中の工具メーカーから発売されていますが、PBのヘキサゴンは、一歩リードしています。

表面の仕上げが違うのです。多くのヘキサゴンには、黒錆、もしくはニッケルメッキ処理が施されています。黒錆処理とは、表面を黒錆化させて耐食性を高めるという処理です。黒い表面のヘキサゴンは、すべてこの処理が施されています。

今度は、錆なのになんで耐食性に優れているの？　という質問が飛んできそうなので、ちょっと説明しておきましょう。

錆には、大きく分けると赤錆と黒錆の2種類があります。赤錆は、我々がよく目にする水と酸素によってジワジワと鉄を浸食していく錆。一方、黒錆は、高温に熱せられた鉄を、一気に冷やしたときにだけできる錆で、空気や水を表面から浸透させない効果があります。つまり、薬剤を使わずにできるコーティングです。これは古くからある処理方法で、南部鉄器などが錆びにくい理由もこれですね。

話を元に戻しましょう。ＰＢのヘキサゴンの表面には、黒錆処理やニッケルメッキではなく硬質クロームメッキが施されています。これはニッケルメッキ、それより硬いとされるクロームメッキよりもさらに硬いクロームメッキで、防錆はもちろん表面強度も格段に高いものです。ほとんどのヘキサゴンにはこれらの処理が施されていますが、ＰＢが優れているのは、その下地処理です。

硬質クロームメッキは下地処理で決まると言っても過言ではありません。鉄の上には直接メッキはのらないため、まず銅メッキを施すのですが、その処理がよくないとせっかくの硬質クロームメッキも剥がれやすくなってしまうのです。

僕は、もう10年もＰＢのヘキサゴンを使っていますが、つくづくその下地処理の精度の高さに驚かされます。ＰＢのヘキサゴンのメッキは使い込むと剥がれるのではなく、もっとも摩耗する先端部分から徐々にすり減ってきます。最終的には、下地の銅メッキが露出するのですが、下地処理がしっかりされているため強度が落ちることがありません。すり減ってもまだまだ現役として使えます。むしろいい味が出てきて、ますます愛着がわいてくるほどです。

プラダ風の赤いライン

ラチェットレンチ

「安物買いの銭失い」。これは、ラチェットにこそふさわしい言葉です。安モノを使ったせいで、銭を失うどころか体に痛手を負った経験が僕にはあります。

まだ工具の使い方をよく知らなかった高校生の頃のことです。エンジンのシリンダーヘッドのボルトを緩めるために、ラチェットのグリップ部分に手をかけ、緩む方向におもいっきり力を入れました。その瞬間、ラチェット内部のギアが割れ、力を入れていた手でエンジンブロックにパンチを食らわせました。

そもそも、ラチェットレンチだけで固く締まったボルトやナットを緩めようというのが間違いだったのです。それほどまで固いネジ類はスピナーハンドルという固定式のレンチを使い、少し緩めてからラチェットレンチを使うというのが正しい方法です。

弁解させてもらえば、メカニックがラチェットレンチを使う姿は〝これぞプロ！〟という感じで、つい使いたくなってしまったのでした。工具なのにカリカリと音がするのがなんとも不思議な感覚で、スパナを使うよりなんとなくカッコいい気がしたのです。

カリカリ音の正体はラチェット機構のギアが当たる音で、切り替えレバーで左右どちらか一方にしか動かないようにできるカラクリです。ですから、グリップを持って往復させるだけで、ボルトやナットを締めたり緩めたりできるわけです。ソケットを取り付ける四角い部分は内部でギアと連結していて、このギアの歯数が多いほど細かい角度で動かすことができるのです。ただし、ギアの材質が悪かったり造りが雑だったりすると、僕のようにケガをするハメになります。

1本だけというのであれば、ギアの歯数が60もしくは72、グリップ部分の長さは150㎜ぐらいというのがいいでしょう。歯数が20や36という仕様が多いようですが、狭いところの作業にはもっと細かいものが適しています。歯数が60ならば6度、72ならば5度の角度を動かせばひとコマ回すことができます。

ラチェットレンチのサイズは4分の1、8分の3、2分の1の3種類があります。この表記はソケットの四角い部分の一辺の寸法をインチで表しています。㎜だと6・3、9・

5、12・7となります。はじめは8分の3を選んでおけば間違いはないでしょう。
ラチェットレンチの良し悪しを見分けるには、ソケットを装着する四角い部分を手で回してみることです。ここでカリカリという音を聞いてみます。安モノは重量感のない軽い音がするはずです。高級なものはギア同士の密着がよいので音があまり響きません。次に四角いソケットが入る部分を揺すってみてください。ここのガタ(クリアランス)が大きいものはたいてい安モノです。

フランスのファコム社(Facom)製が僕の一番のおすすめです。歯数は理想の72、シンプルな切り替えヘッドのデザインも文句なしです。機能もさることながら、黒いグリップ部分の上にあるプラダ風の赤いラインに白い「Facom」のロゴがなんともお洒落です。

ラチェットレンチは、高校生の僕のように力まかせに使ってはいけません。グリップ部分ばかりを使うのではなく、力を必要としないときには切り替えレバーが付いている中心部分を握って回すのがコツです。締める場合は固くなるまで素早く回して、最後はグリップの部分に持ち替えて増し締めしましょう。逆に緩める場合はグリップ部分で緩めたら、根元を握り直して緩めます。この使い方が板に付けば、もうプロ級。ウデがあるように見せるには、リズミカルにカリカリ音をさせることが何より大切なのです。

プチ万力
ロッキングプライヤー

ナットの山をなめてしまい、どうにもこうにも回せない。あるいは、ボルトを締める際に裏側にあるナットが回ってしまってもどかしい。そんな自分の不器用さにイライラして、キーッ！とヤケを起こしてしまうことがありませんか？　そんなときに助けてくれる工具がこれ、ロッキングプライヤーです。

見た目は普通のプライヤーですが、グリップの裏側に仕掛けがあります。普通のプライヤーは支点となる部分が1か所ですが、このロッキングプライヤーはなんと4か所もあるのです。つまり、その4か所のテコの原理によって、普通のプライヤーよりも少ない力で大きなグリップ力を得ることができるのです。

使い方は、まずグリップ部分にある調整ボルトであらかじめくちばしの広さをモノの厚

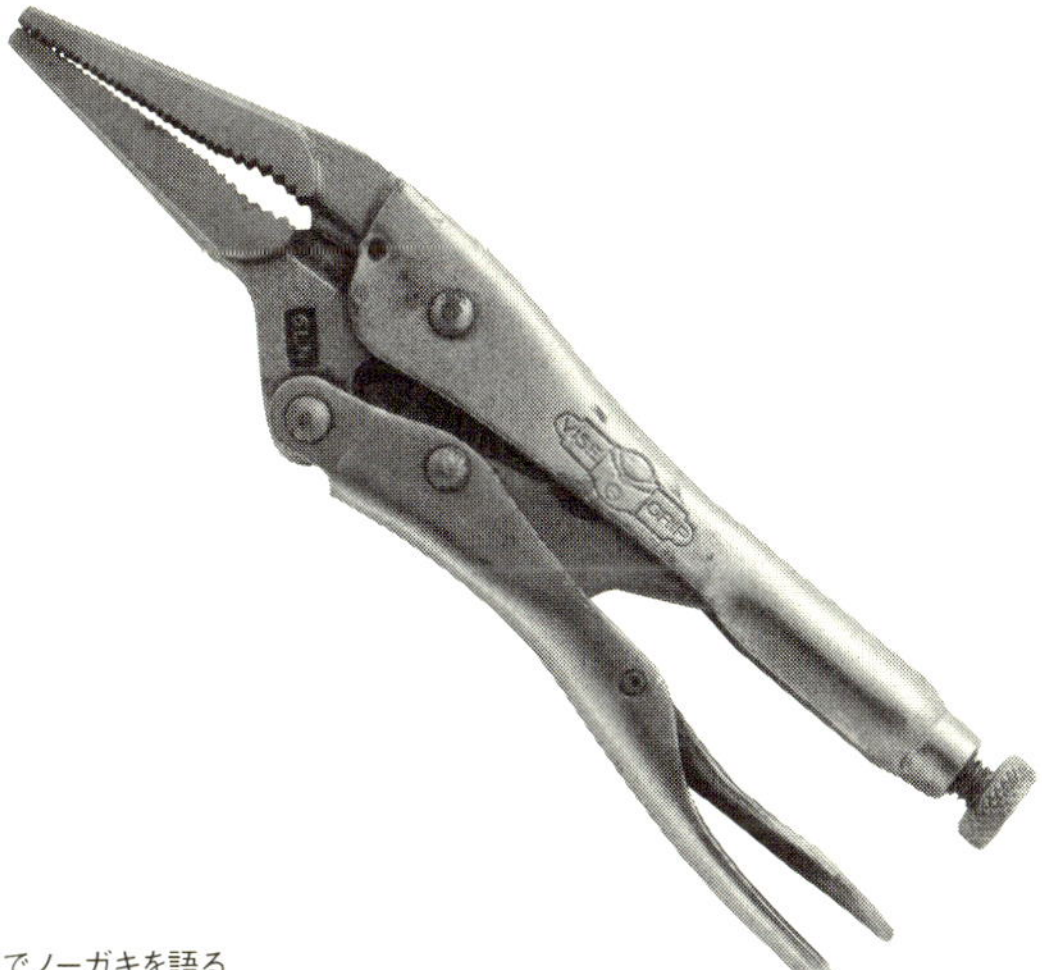

みに適当に合わせます。狭いときはくちばしを広げ、広いときは狭くしておきます。あとはモノを挟んでギュッと軽く握るだけ。するとパチンッ！という音とともに挟んだ状態のままロックされます。ロックの解除は、グリップの裏側にあるレバーを押すだけです。

ロッキングプライヤーのタイプはいろいろで、ニッパーのような先の短いものからラジオペンチのように細長いものまであります。また大小も様々で、大きなものはロブスターのハサミのようなものもあります。

しかし、大きけりゃいいってものではありません。買うなら手のひらサイズのものがいいでしょう。イライラするのは、たいてい細かい作業の場合ですから。

ところで、こんな万能な工具を発明したのはいったい誰でしょうか？　それは、ウィリアム・ピーターセン（現在の米国ピーターセン社の創始者）というデンマーク人の鍛冶職人でした。アイデアマンだった彼が１９２４年に移民としてアメリカに渡った後、これを発明し特許を取ったというわけです。

現在では、様々なブランドから商品化されていますが、やはり秀逸なのは元祖ロッキングプライヤーであるピーターセン（Petersen）社の「ＶＩＳＥ ＧＲＩＰ」でしょう。ロッキングプライヤーで、右に出るメーカーはありません。

ザラザラの鍛造肌のくちばしと、安っぽいプレスでできた取っ手はアンバランスでありがたみが感じられないかもしれません。

しかし、実はそのアンバランスなのがミソなのです。グリップ部分を重厚に作ってしまうと、モノを挟んで固定した時にグリップ部分に負荷がかかってしまってはずれやすくなるのですが、ピーターセンのバイスグリップは、くちばしの部分が重い鍛造でできている一方で、グリップの部分はプレス素材でできています。ですから、グリップの重みではずれることがありません。

その優秀なピーターセンのバイスグリップは、多くの有名ブランドにもOEM供給されているほどです。コピー商品もたくさん市場に出ており、本家本元のバイスグリップではないのにバイスグリップという商品名でホームセンターに置かれていることもしばしば。もう、バイスグリップがひとり歩きしている状態ですね。

ちなみに、僕の仲間の間では、バイスグリップと、ロッキングプライヤーがゴッチャになったのでしょう、バイスプライヤーというヘンな造語で呼ばれています。まあ、これも偉大な発明品の宿命ですね。

オトナは手のひらに隠す
エアゲージ

ギザギザのゴムの緩衝材に守られたゴッツいメーター。あれこそがプロスペックのエアゲージといえるでしょう。

僕も、この手のエアゲージに憧れたものです。メーターは大きければ大きいほど精度が高いと知れば、CDくらいの大きさもある特大サイズのメーターを購入し、プロは緩衝効果をさらに上げるためにゴムの緩衝材の上にガムテープを巻くと聞けば、僕も真似してグルグルとガムテープを巻き付けたものです。そのいかにもプロ仕様に仕上がったデカいメーターを抱えて、これ見よがしに使うのが僕の楽しみでした。

しかし、ある日、ガラスに映ったその姿を見て気づいたのです。これじゃ、レーシングスーツを着込み、ヘルメットを被って街中を走っているようなものじゃないか……、と。

そんな矢先に出会ったのが、このミシュランのエアゲージでした。とてもコンパクトで手のひらにスッポリと隠れてしまうほど小さいメーターです。手のひらサイズのエアゲージはほかにもたくさんありますが、その多くはプラスチック製のもので、誤って踏んでしまえばすぐにバラバラになってしまうような華奢なものばかりです。

しかし、ミシュランのエアゲージは素材とカタチに秘密があります。ボディは膨張率が低く精密機器に最適なベークライトという素材です。これは昔から絶縁材などに使われているもので、プラスチックよりも重いせいかどこか温かみを感じるのが特徴です。太ったタツノオトシゴのようなカタチもミソです。このカタマリ感のあるデザインが剛性を高めているのです。

僕の知る限りでは、このタイプのエアゲージは、1950年代にはすでにあったようです。ビバンダムのキャラクターのように長く愛されているエアゲージなんですね。なによりタイヤメーカーが作っているエアゲージというのが安心ではありませんか。精度が低ければ、タイヤとしてのミシュランブランドにも傷がつく恐れがありますから。

手のひらに隠して、さりげなくプシュッ！と一回。僕も大人になったなぁ……と、つい悦に入ってしまうエアゲージです。

鋼よりも強い
ニッパー

ドイツ中西部のヴッパータールという町にクニペックス社(Knipex)があります。クニペックスは、こと〝挟む〟ことに関してはピカいちの工具メーカーで製品ラインナップも何かを挟む工具ばかり。ですから、ニッパーもこのクニペックスのものがベストです。

とはいえ、モノを挟む精度だけでは立派なニッパーとはいえません。刃の切れ味も重要です。

実はクニペックスのあるヴッパータールから、わずか50㎞の場所にゾーリンゲンという町があります。ここは1000を超える刃物メーカーが集まる〝刃物の町〟として世界的に有名です。その町の技術の恩恵を直接的に受けたかどうかはわかりませんが、使ってみるとそう思わずにはいられません。

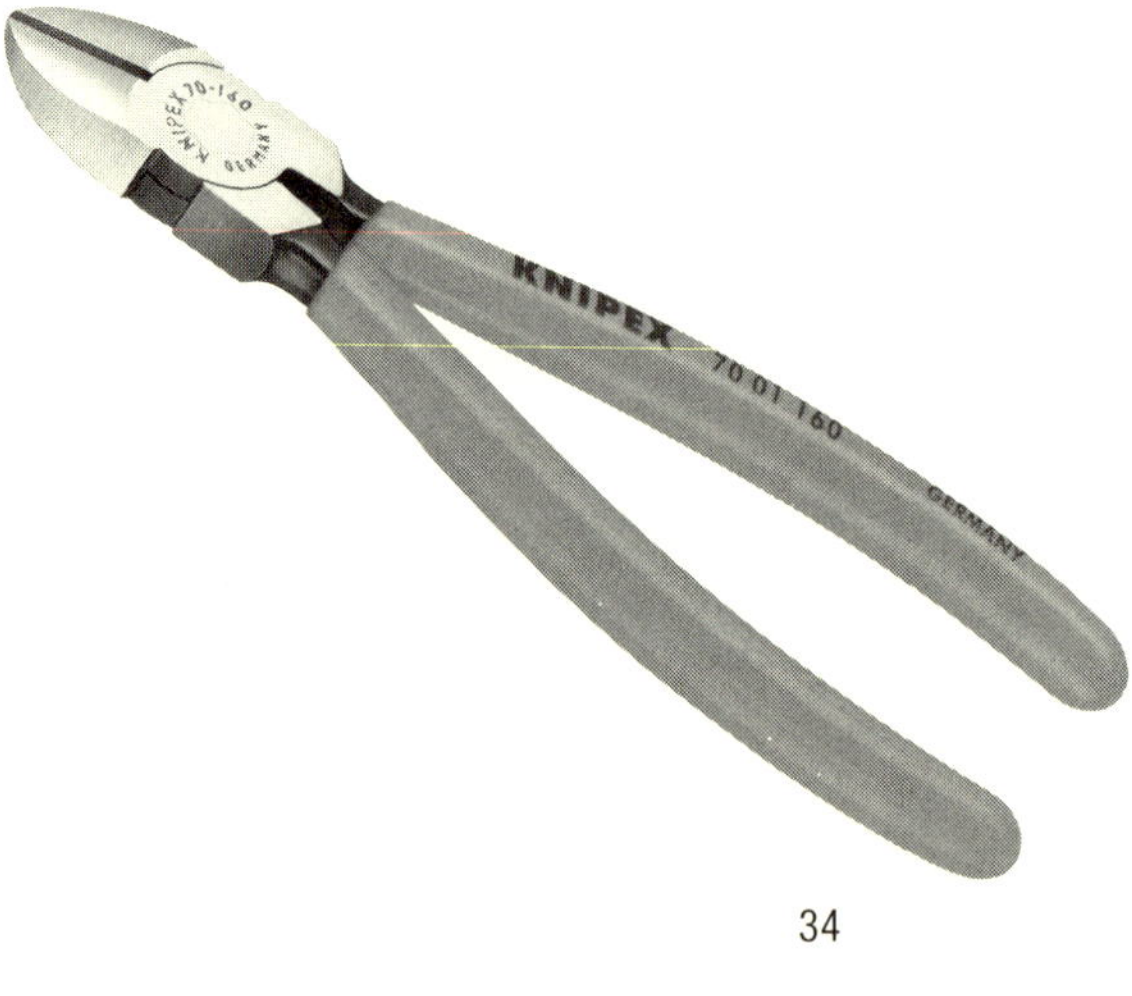

以前、ケブラーという素材をブレーキラインに使用するため加工しなければならないことがありました。ケブラーは、シルクのようにしなやかな繊維です。しかし、見た目とは裏腹に、鋼の約1・5倍もの強度を持っています。普通のハサミやニッパーで切ろうものなら、刃がガタガタに欠けてしまいます。このときもケブラーの製造メーカーから、専用の裁断機を使うように、と注意を受けていました。たしかに、おっしゃる通り。ハサミで直径8㎜ほどのパイプ状のケブラーを2、3回切っただけで、もうそのハサミは使いものになりませんでした。

しかし、そんな強靱なケブラーもクニペックスのニッパーだけには勝てなかったのです。ザクザクと音を立ててバンバン切れる！　しかも、何十回切っても刃の切れ味が変わりませんでした。

ニッパーは、大きく電線ニッパーと強力ニッパーの2種類に分けられます。電線ニッパーは銅線などの柔らかいもの、強力ニッパーは鉄線などの硬いものを切るのに適しています。強力ニッパーを買えばどちらも兼用できるんじゃない？　と思いがちですが、強力ニッパーは柔らかく粘りがあるものを一度で切るのが苦手です。でも刃が欠けるよりはマシですから、どちらか1本買うなら強力ニッパーのほうがよいでしょう。

十円玉でテストしろ！

ラジオペンチ

最近では、〝ナイター〟とはあまり呼ばないようです。大リーグで日本選手が活躍する時代に、和製英語は使いたくないからでしょう。いまやテレビ中継でもナイトゲームと呼ぶのが主流です。でも、ＭＬＢならぬ日本プロ野球にはナイターという響きのほうがなんとなくしっくりきますね。

工具の世界で和製英語の代表格といえば、〝ラジオペンチ〟でしょう。

高校の授業で、先生に「ピンチのときに、挟んでもよし、切ってもよし、というところからペンチというんだろう」と説明されて感心した記憶があります。しかし、それは真っ赤なウソ。綴りは同じですが、せっぱ詰まったときのピンチではなく、「つかむ」ほうの

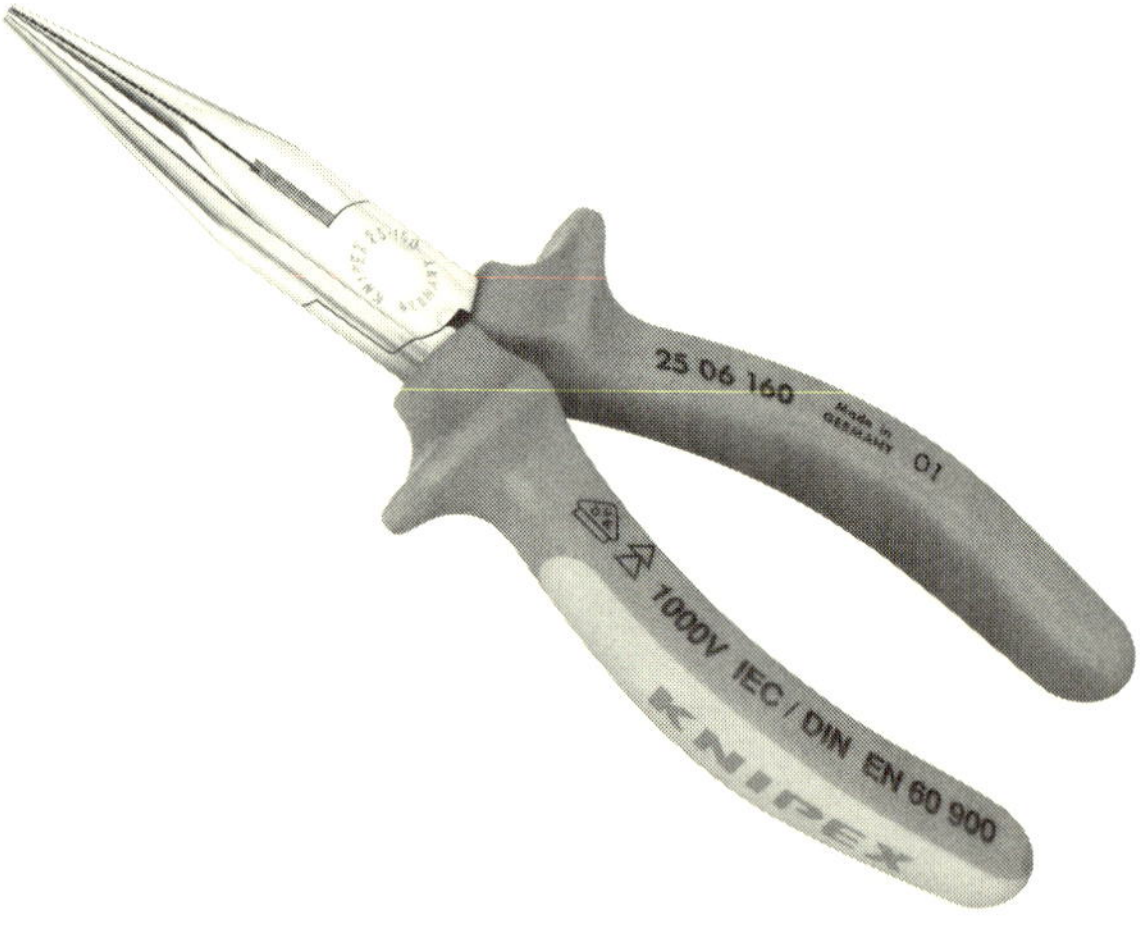

〝ピンチ（Pinch）〟がなまってペンチになったようです。ニードルノーズ・プライヤーズというのが、ラジオペンチの正しい名称です。たぶん、ラジオの製作などの細かい作業に適しているのでこの名前がついたのでしょう。ダブルの和製英語なのです。

ところが、ラジオペンチでも長すぎるらしく、メカニックは〝ラジペン〟と略して呼びます。特にこれといって決まった用途はないのですが、細かい作業にはとても便利です。ピンやクリップを抜いたり、ちょっとしたものを挟んでおいたり曲げたりするのに重宝します。

細い針金などを切ることもできます。一度では切れないことがありますが、いつまでも握っていてはいけません。切り口を90度ずらせば、すんなり切ることができます。

用途が広いので、つい何にでも使ってしまいたくなりますが、大きなものは不得意です。先が細いので〝エイッ〟と力を入れたら先っちょがチューリップのように開いてしまうし、折れることだってあります。

変形しやすいだけに、品質の良し悪しがわかりやすい工具です。買いに行ったら、十円玉や百円玉を床の上に置いて、その場でつかんでみましょう。滑らずにつかめて、モノの大きさにかかわらず、片手で簡単に力の調整ができることが重要です。

モノがよいのは、スナップオンのラジペンです。かなりハードに使用してきましたが、いつも先端部がピタリと合っています。スナップオンお得意のピカピカクロームメッキ仕上げではなく、〝黒染〟という仕様です。まるで植木屋さんの剪定ばさみのようで、職人っぽく男らしい〝いぶし銀〟の装いです。ただし、使わないで置いておくと赤く錆びてしまうので、あまり使わない人にはかえってカッコ悪いので気を付けてください。

そういう人におすすめなのが、硬質クロームメッキを施したドイツのクニペックスのラジペンです。クロームメッキは粘りがないため、通常ラジペンに使うとメッキが剥がれやすいのですが、クニペックスのラジペンは母材とメッキ部分の密着が高く、剥がれにくいのです。外観もさることながら、モノをつかんだときの絶妙なしなり具合と手ごたえがすばらしく、自分の手との一体感があります。

太くて温かみのある持ち手の形状には、工具の冷たいイメージはまったくありません。樹脂製で半透明の濃いオレンジ色も、温かさを醸し出しています。

また、ラジペンの危険区域であるクロス部分に手が入らないようにストッパーが付いているという芸の細かさもニクいですね。〝気配りの工具〟です。工具は性能だけではいけないのです。

昔は空飛んでました
ハンドライト

マグライト（Maglite）は、１９７９年に登場以来、瞬く間に世界中に広がり、現在ではアメリカの警察をはじめ、世界中の軍隊や警察で制式採用されているハンドライトです。日本でも比較的簡単に手に入るため、すでに皆さんもご存じかもしれません。

生みの親は、アンソニー・マグリカ（マグ・インスツルメント社の創始者）というアメリカ人。マグライトの〝マグ〟となった人物です。彼はもともと旋盤技術者でした。マグライトを作る以前は軍や航空機メーカーに卸す工業用精密パーツを作っていたといいます。その旋盤技術を生かして作られたのが、オールアルミの削り出しボディの丈夫なマグライトというわけです。

〝削り出し〟とは、すでに鍛造された（鍛えられた）鉄やアルミなどの素材を削り出して

カタチを作るということです。強度だけなら叩きながら形作ることで得られますが、それでは精度が低すぎます。とはいえ鋳造だけでは、今度は強度がなくなってしまいます。つまり、強度と精度、いずれも両立させているのが〝削り出し〟です。小さく、精密で、しかも強度が必要というシビアな条件が求められる場合に用いられる加工方法ですね。マグライトは、そんな贅沢な製造方法で作られたライトなのです。

マグライトは、いまやアウトドア、メカニック、ミリタリーなど様々な分野における定番アイテムですが、もちろん自動車メカニックの世界でも重宝されています。ほとんどのプロのメカニックは、マグライトを使っていると言っても過言ではありません。レース会場のピットには、よくプロのメカニックを対象とした工具販売店の出張販売車が現れるのですが、マグライトは必ずと言ってよいほど用意されています。

現在、日本に正規輸入されているマグライトには全8種類のサイズがありますが、クルマいじりに使用するならば、単三電池を2本使用するマグライトAAをおすすめします。エンジンルームの狭い場所にも入れることができ、両手を使って作業をする際にも口にくわえることができます。また、このサイズは比較的多く販売されていますので、純正品ではありませんが、ファイバースコープやカラーレンズなど、様々な周辺部品も充実しています。

パリダカでもハシケン!?

牽引ロープ

牽引ロープといえば、誰がなんと言おうと橋研（ハシケン）の「ソフトカーロープ」に限ります。１９７０年に牽引専用の伸縮式ナイロン製ロープの専業メーカーとして創業された会社です。この世界では老舗と言ってもいいと思います。今では伸縮性のある牽引ロープというのは当たり前の存在で、似たような牽引ロープはいくつもありますが、やっぱり橋研のがいいんですね。

まず、ロープの素材と縫製が違います。２３０℃の熱にも耐えられる強化ナイロン素材が使われており、フックとロープのつなぎ目の部分の縫製も厳重です。

乗用車向けのロープは、通常は約１・５ｍほどの長さで携帯性にも優れますが、牽引するとき（伸張時）は３・６ｍ近くまで伸びます。トラックなどの大型車から戦車といった

特殊な車両まで、用途（車種）に合わせて何種類ものロープが用意されているのもプロっぽいですよね。

なかでも僕が一番気に入っている点は、フックの部分です。メーカーでは「G型安全フック」と呼んでいるものです。よくあるUシャックル（U字型のフック）と比べても、明らかに脱着がしやすく、なにより剛性感があります。「牽引ロープのフックの世界では、初のクロームモリブテン鋼を使用」とメーカーは謳っていますが、実際使っていても軽くて丈夫な印象があります。パリダカなどのハードなレースでも使われているようですし。

さて、ここで牽引するときのコツについても少し触れておきましょう。

牽引する際は、引っ張る側と引っ張られる側では、引っ張られる側を運転の上手い人、牽引に慣れている人にまかせるのが得策だと思います。牽引をスムーズにこなす上でもっとも大事なのが、常にロープをテンションがある状態にしておくことです。ロープがピンと張っているようにしておくということです。これは特にスタート時のことなのですが、ロープがたるみきったまま発進すると、橋研をもってしてもガクンと衝撃をうけます。乗っている人も苦痛ですが、クルマにもよくないことは明らかです。牽引される側が、車間をうまくコントロールして、ロープを張っておくようにしましょう。

南極でも使われている

バッテリーケーブル

バッテリーを上げてしまう経験なんて、人生にそう何回もあることではないでしょう。だから、使うかどうかもわからないバッテリーケーブルなんて一番安いもので十分と思っていませんか?

ケーブルの話をする前に、ちょっと電気のことを簡単におさらいしましょう。

電気は、よく川の流れにたとえられます。川幅が広ければ短時間にたくさんの水が流れるように、ケーブルが太ければ、それだけ短時間にたくさんの電気が流れます。そして、細い川にたくさんの水が流れ込むと氾濫してしまうように、電気も通るケーブルの抵抗が大きいと熱として外に逃げようとするのです。

ということを踏まえると、よいケーブルとそうでないケーブルの違いがわかりますね。

ケーブルが細いものや、グリップが錆びやすい（錆びると電気抵抗が大きくなるので、必要な電気を十分に流すことができません）スチール製のものは×。スチールのグリップに電気抵抗が少ない銅メッキを施しているものもありますが、長期間使わないでおくと内側から錆びてくる可能性がありますので、これも×です。

世界には優れたバッテリーケーブルがたくさんあります。日本製では、橋研のバッテリーケーブルが断然、優れています。ケーブルは一見細く見えますが、細い銅線がぎっしりと詰まっています。

また、グリップ部分は錆びることのない硝子繊維入りポリカーボネート製。端子と接触する部分だけに電気抵抗が小さい銅が使われています。さらに、普通は天然ゴムが使われているケーブルの被膜に、耐熱性、耐寒性、柔軟性に優れたシリコンゴムを使用しているため経年変化にも強く、いざというときにヒビ割れていて使えない！なんてこともありません。その耐久性は、1年間にわたって南極で観測生活を送る越冬隊の備品として採用されていることでもわかります。

ケーブルの色も独特です。赤と黒が一般的ですが、橋研のケーブルは、青と赤。これは、人間の静脈と動脈を表しているそうです。

レースの現場でも使える

ガムテープ

レースをやっていて、カウルが破損したとか、バンパーが取れかかったとかいった場合に、よくガムテープを使って応急処置をしたものです。普段、なにげなく使っているガムテープですが、簡単に200km／h以上出てしまうレースの環境においても、耐えうる力を持っているのです(ここでいうガムテープとは、布製のガムテープのことを指します。紙製のガムーテープではありません)。

日東電工の粘着テープNo.756は雨にも強く、色も9色あるのでレース中の応急修理でもクルマの見栄えが悪くなることがありません。日東電工によると、粘着力は同社の平均的なガムテープの約3倍だそうです。困ったときのガムテープチューンには、日東電工の粘着テープNo.756がおすすめです。

Q&A 其の一

ホームセンターで売っている、無名の安い工具を購入しても大丈夫ですか？

僕が高校生になって間もない頃でした。自分専用の工具が欲しくなり、小遣いをためて無名のラチェットトセットを買ったことがあります。ソケットがいっぱい入っているので、なんとなくお買い得感があったのでしょう。

しかし、この安モノのラチェットセットで、僕は二度もヒドイ目に遭いました。

一度は、当時、乗っていたオートバイのナットを緩めようとしたとき。渾身の力を込めてラチェットを回した途端、パキ！という音とともにソケットが割れてしまったのです。それだけではありません。なんと、割れたソケットの断面がナットにめり込み、もろとも壊れてしまったのです。

二度目の失敗は、もっとヒドイものでした。バイクのハンドル交換をしたときのこと。ラチェットレンチのページと同じような話ですがエイヤッ！と力を入れた瞬間にラチェットレンチ内のギアが欠けてストッパーがきかなくなってしまったのです。僕のラチェットレンチを持った拳は、そのままバイクを立て掛けていた後ろのコンクリート塀に正拳突き。小指の付け根を強打し、全治1か月の重傷を負いました。

そうそう、使う前にもかかわらずケガをしたこともありました。素材にしっかりと定着していないメッキがアッという間に剥げてゆき、そのカミソリのように鋭くなった剥げ口で手を切ってしまったのです。あの頃の僕は、キラキラ光るだけの安いメッキを見抜けませんでした……。

つまるところ工具は安かろう悪かろうなのです。別に僕はブランド主義者ではありませんが、工具はある程度ブランドで選んでも構わないと思います。工具はモノをメインテナンスする道具です。その道具が壊れてしまうことは工具ブランドにとって何よりの恥なのですから。

よい工具は多少なりとも自分の技術力をカバーしてくれますが、実際に技術力も上がるものです。よい工具にふさわしい技術力を身につけたい。よい工具は、そういう気持ちにさせてくれるのです。

2章

ガレージの中はノーガキの宝庫Ⅰ

凶暴だけど根はやさしい？

ウォーターポンププライヤー

上アゴと下アゴを平行に保ったまま幅を調節できて、しかも様々なサイズのボルトを挟んで回すことができるのがウォーターポンププライヤーです。だったら、べつにアジャスタブルレンチ（モンキー）でもいいじゃないかと、お思いになるかもしれません。しかし、きちんと〝ウォーターポンプ〟と呼ばれる理由はあるのです。

名前から連想するように、水道管の工事現場を思い浮かべてください。あなたは、勢いよく水が出ているパイプとパイプの継ぎ目のナットを締めようとしています。凄まじい水圧で飛ばされそうになりながらモンキーレンチのアジャスターを回して口を合わせようとします。そうこうしている間にも大量の水が流れ出て、あぁ、あたりはもう水浸し……。そんなときに、このウォーターポンププライヤーが活躍

するのです。口を大きく開いて、ナットを挟めば、ハイ、終了。あとは握って回すだけです。そんなモンキーレンチにはできない素早い作業をできることが、ウォーターポンププライヤーと名付けられた理由なのでしょう。

手軽で便利な工具ですが、注意しなければならないのが、口に付いているギザギザの歯。丸いものにもしっかりと噛みつきパイプレンチのようにも使えて便利ですが、ナットの角を引っ掻いて傷つけてしまう恐れがあります。便利な工具だけに、なんでもこれで代用してしまいがちですが、頼りすぎるのもよくありません。

おすすめのブランドは、やはり、挟むことには定評のあるドイツのクニペックスのもの。その名も〝アリゲーター〟と〝コブラ〟。いちど噛みついたら逃がさない、ということから名付けられたのでしょう。ポイントは、精度の高さもさることながら、人にやさしい設計ということです。ウォーターポンププライヤーは、グリップの部分が長いため、安モノでは、自分の握力で手のひらの肉を潰してしまうことがあります。僕も何度も、このケガで泣きました。しかし、クニペックスのウォーターポンププライヤーは、どんな口幅に調節して握ってもグリップの間にクリアランスができるように設計されているため、手を挟んでケガをすることがありません。

〝カチカチッ〟と二度鳴らせ

トルクレンチ

近所の自動車修理工場にクルマを定期点検に出したとき、若いメカニックがエアを使ったインパクトレンチでホイールを締めていました。僕は嫌な予感がしたんです。インパクトレンチは〝キューンダダダダッ〟と素早く作業ができる便利な工具ですが、調子に乗ると大変なことになります。

クルマを引き取ってから確認のためにホイールをはずそうとしたら、案の定とんでもない馬鹿ヂカラで締め付けられていました。なんと、そのせいでブレーキのドラムにヒビが入っていたのです！

こんなことがないようにするには、どうするか。引き渡すときに「ホイールを締めるときはトルクレンチでお願いします」と一言付け加えておけば大丈夫です。ボルトやナット

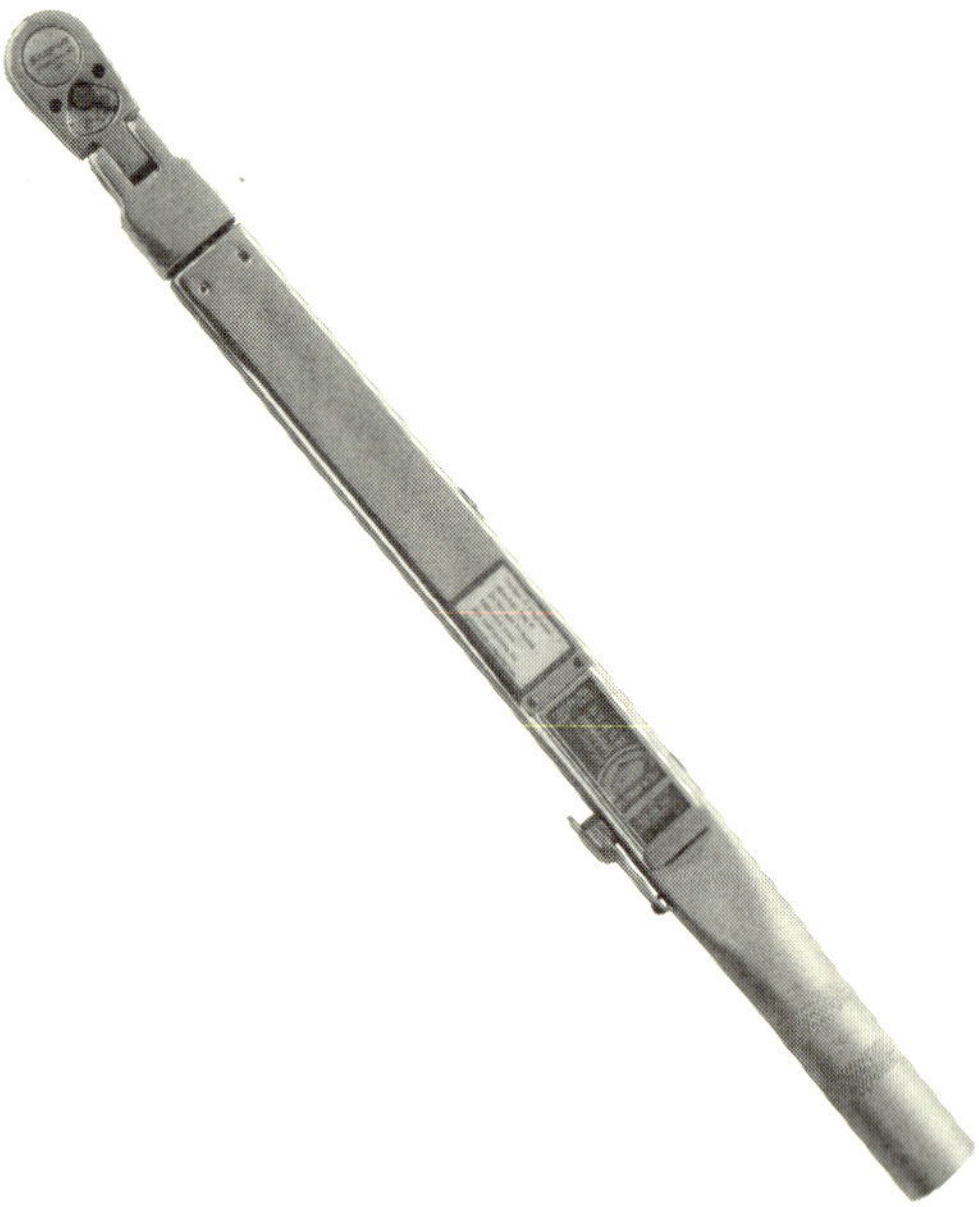

を締め付けるときに〝カチッ〟という音がでる工具を見たことがありますか？　これがトルクレンチです。

ボルトやナット、ネジ類はクルマに使われている部品に限らず、締め付ける最適な力がそれぞれ決められています。これを締め付けトルクといって、kgf／cmで表します。難しい話は置いておきますが、とにかくこの数値を守らないとボルトが折れたりナットが緩んだりするわけです。だから、きちんとしたタイヤショップでは、最後にトルクレンチを使ってホイールナット・ボルトを締めるはずです。

トルクレンチには、3つのタイプがあります。力をかけると取り付けられた指針プレートがひずんで、希望の締め付けトルク値を針が指すまで締めるというプレート型。丸形のアナログメーターが付いていて、まるでクロノメトリックの回転計のように表示するダイヤル型。いずれもコレクションとしては持ちたい工具の一つですが、〝プロっぽい〟という意味でおすすめしたいのは、プリセット型です。指定のトルクにダイヤルを調整して力を加えれば、そのトルクに達したとき手に伝わる振動と〝カチッ〟という音でわかる仕組みになっているのです。

トルクレンチの良し悪しはトルク値の正確さで決まります。ドイツのスタビレーやハゼットといった実績のある逸品から、研究室レベルで使われている超逸品イタリアのウザッグ(Usag)などもありますが、そこまで高価なものは必要ありません。せいぜいホイールナット・ボルトに使うぐらいですから。

トルクレンチは、黙ってスナップオンを選びましょう。ほとんどのプリセット型はグリップ部分の目盛りを回すことによって合わせますが、このトルクレンチはちょっと違います。細身のスマートなデザインはなんともノスタルジックで丁寧に扱いたくなります。イタリア海軍が使っていた腕時計「パネライ」の竜頭を彷彿させるトルクアジャスティングダイヤルは、まず〝カチッ〟とレバーを寝かせて解除し、指定のトルクに合わせたらもう一度〝カチッ〟と固定します。その動作が作業へのボルテージを高めるのです!

しかし、使い方が板に付いていなければ台無しです。とっておきのカッコいいワザがあるので紹介しましょう。ある程度均一にホイールナット・ボルトを締めつけてからがトルクレンチの出番です。指定のトルクに近づき、さらに力を入れると〝カチッ〟と音がします。ここでいったん力を抜いてもう一度力を入れると、さらに〝カチッ〟と鳴ります。〝カチッ〟が合計2回です。これを素早く〝カチカチ〟と鳴らすのです。簡単なようですが慣れないとできません。

素材思い

プラスチックハンマー

今でこそ工具について偉そうに語っていますが、もちろんたくさんの失敗を経験しています。たとえば、〝室伏事件〟。それは、曲がったホイールのリムを一心不乱に叩いていたときに起きました。重めのプラスチックハンマーだったのですが、突然ヘッド部分が抜けて遠くのクルマめがけて飛んでいったのです。本当のハンマー投げです。

ハンマーはモノを叩くための、極めてプリミティブな道具です。どこの家にも一つはある〝カナヅチ〟は、ハンマーの代表です。クギを打ったり金属板などを叩いて曲げたりするときになくてはならない、基本の工具ですね。

しかし、カナヅチは硬い鉄でできているものだから、相手を傷つけてしまうこともあり

ます。アルミニウムや木製のモノを変形させたり動かしたりするのには、適度に柔らかい〝プラスチックハンマー〟が役に立ちます。硬ければいい、というものではありません。

メカニックの間では、例によって〝プラハン〟と短く呼ばれています。ヘッドのあたる部分は、粘りがあって割れにくいプラスチックでできています。整備や修理をおこなうとき、鉄製のハンマーよりも高い頻度で使用します。アルミホイールのような柔らかいモノを傷つけずに変形させるにはもってこいの工具です。錆びて固着した部品を叩いてはずしたり、微妙な位置合わせをしたりするとき、とても重宝します。修理の実際では、こういう汎用の工具がなにかと役に立つものです。

ハンマーは、柄の部分とヘッドの部分が別々の部品から成り立っています。ヘッド部分を柄に差し込み、上からクサビで打ち付けて抜けなくしています。

ところが、使っているうちに、叩いた振動と柄の部分の変形によってそれが緩んできてしまいます。これに気が付かないと、僕のようにハンマー投げをするハメになってしまうのです。

このタイプのハンマーは、ときどき柄の下の部分を床に叩き付けてハンマーヘッドを下に沈み込ませて固定する必要があります。

カナヅチとプラハンはそれぞれ役割が違うわけですが、両方のいいとこ取りをした工具もあります。アメリカのマックツールズ(Mac Tools)のプラハンです。ヘッドの片方が金属、もう片方がプラスチックになっていて、柄とヘッドが一体になった構造です。

左右非対称で不格好ですが、実は絶妙なバランスで構成されています。振ってみると、見た目のアンバランス感に反して、とても具合がいいのです。対象物を確実にとらえる感覚は、強力な磁石で吸い付けられているかのような錯覚に陥るほどです。アンバランスな形が生んだ〝バランスの工具〟です。一体型ですから、もちろんヘッドが抜ける心配はありません。

ハンマーは木の柄でなければというコンサバな人のためにおすすめするプラハンは、PBです。トラディショナルな外観と手に衝撃の少ない〝無反動式〟の構造は最新の技術と伝統が融合しているものです。見た目の派手さはありませんが、身体に優しい実用的なハンマーです。これも、簡単には抜けることのない、考えられた構造になっています。

こうしたプラハンを使っている限り、ヘッドが抜けるんじゃないかと面倒な心配をしなくていいのは実に助かります。でも、僕はつい、ハンマーヘッドの装着具合を確認するため柄の下の部分を床で叩くクセが抜けないのですが……。

職人の定規
ノギス

熟練すると、人間の感覚は恐ろしいほど鋭敏になるものです。

昔、機械加工屋さんに通って作業の現場を見せてもらっていたことがあるのですが、そこのおやじさんは、エンジンのピストンピンの穴に指を入れては「22㎜だね」と言ったり、金属を指でなぞっては「1000分の2㎜の段差があるな」と言ったりしたものです。指先の感覚だけで正確に感知するのです。

「測定器なんかいりませんね」と僕が言うと、「測定器があるからわかるようになったんだよ」と答えました。繊細な器具を使い続けてこそ、人間の微細な感覚が養われるというのです。

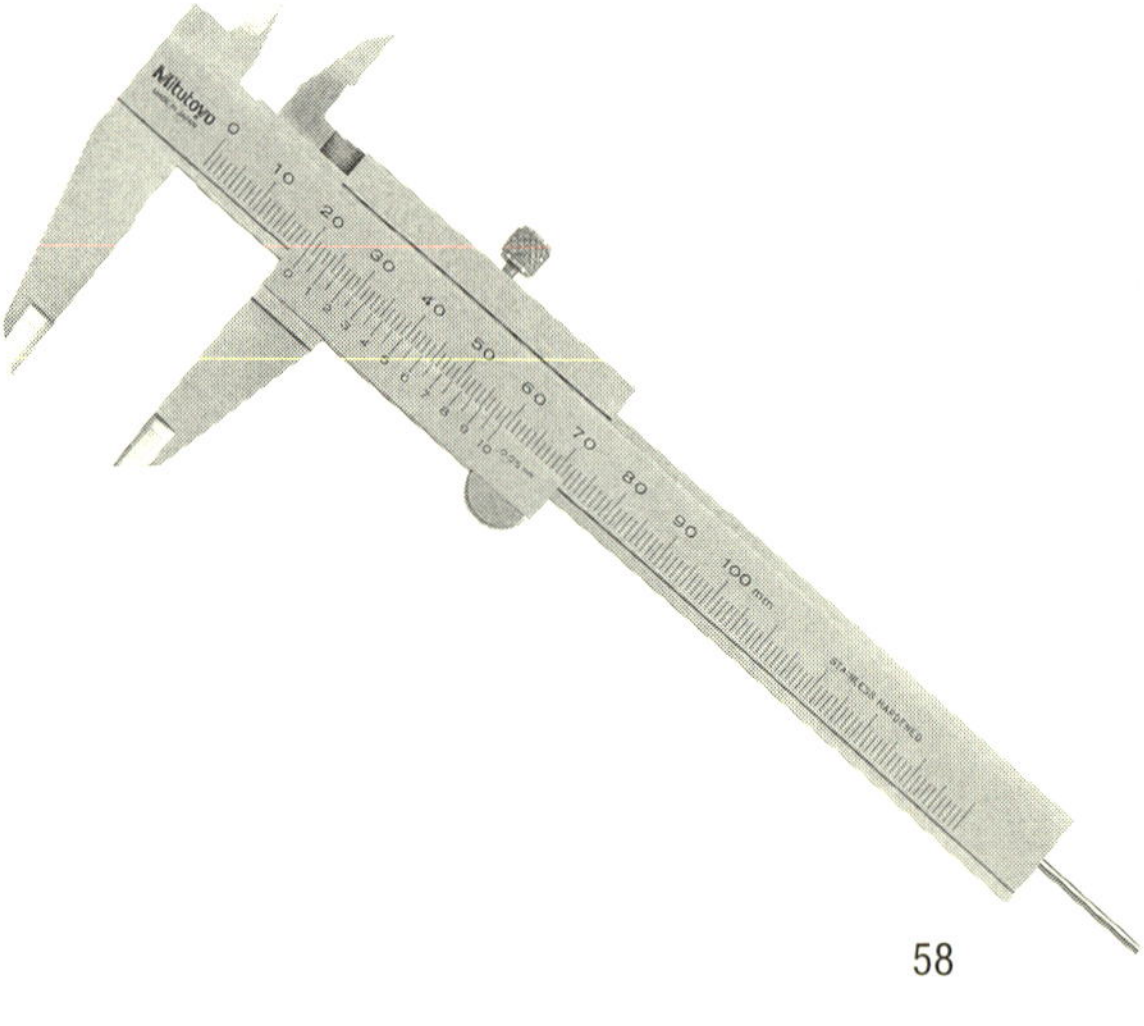

機械加工屋には、100分の1から1000分の1㎜を測定するダイヤルゲージやマイクロメーターが置いてあります。普段めったに目にしないものですね。精密なだけに管理をきちんとしておかないと機嫌を損ねてしまうのです。その中で一般にもよく知られているのがノギスでしょう。

ノギスは100分の5㎜単位の測定ができてしまう繊細な測定器なのに、多少ラフに扱っても壊れません。測りたいものを挟むだけ、というカジュアルさも嬉しいところです。素材はステンレスですが、スプーンなどに用いられる柔らかいものではありません。ナイフや包丁に使われる、硬く強靭なマルテンサイトステンレスで作られています。

㎜単位の目盛りが刻まれた定規のような部分と、スライダーと呼ばれる可動部分からなっていて、それぞれに物にあてる測定面が結合されています。スライダーには39㎜を20等分した目盛りが付けられていて、これが秘密の原理です。スライダー上の目盛りが本体の目盛り線と一致しているところを見ると、100分の5㎜まで測れる仕組みになっています。

ノギスの歴史は古く、17世紀にはすでに使われていたといいます。ただし、モノを挟んで外側の寸法の見当を付けるだけの道具でした。ポルトガルの数学者ペトルス・ノニウスという人が、ノギスに目盛りを入れたといわれています。その名前が訛って、日本では〝ノギス〟と呼ばれるようになったわけです。英語ではバーニアキャリパーといいますが、それはノギスを完成させたもう一人の人物であるピエール・バーニアの名から取られています。

普通ノギスを用いておこなえる測定は、外側測定、内側測定、深さ測定です。本体の大きく挟む部分は外側測定用、その上に内側から外側へスライドする尖ったものが内側測定用、スライドさせると後ろのほうから細目のバーが出てきますが、これが深さを測定するツールです。それにプラスして段差測定を設けたのが、日本を代表する精密測定器具メーカーのミツトヨでした。

レンチやハンマーなどで有名なのは、海外のメーカーばかりですが、こと測定器具に関して言えば、日本のメーカーの独擅場なのです。精密で繊細な測定器を作るには、日本の職人の熟練の腕が何より必要とされるのです。

ちなみに、ミツトヨのノギスの日本でのシェアは90％以上。練達の職人が作った計測器を、円熟の職人が高く評価して使っているのです。日本の職人の水準の高さが表われているようで嬉しいですね。

鈍く光るタコの足

ソケットレール

ソケットがたくさん入っているラチェットセットは、持っているだけで嬉しいものです。僕が初めて買った工具セットもラチェットセット。使いもしないのにフタを開けてほくそ笑んでいたものでした。

しかし、使い始めるとラチェットセットは意外に厄介だということに気付きます。完成間近のパズルをひっくり返すように、誤ってラチェットセットをばらまいてしまうことが多々あるのです。

ラチェットセットの箱に入っているソケットは、それぞれのサイズの穴に緩く収まっているだけです。ですから傾斜している場所に置いて落としてしまったり、うっかり逆さまに開いてしまったりすると、ソケットはバラバラ。メカいじりに集中しているのに、パズ

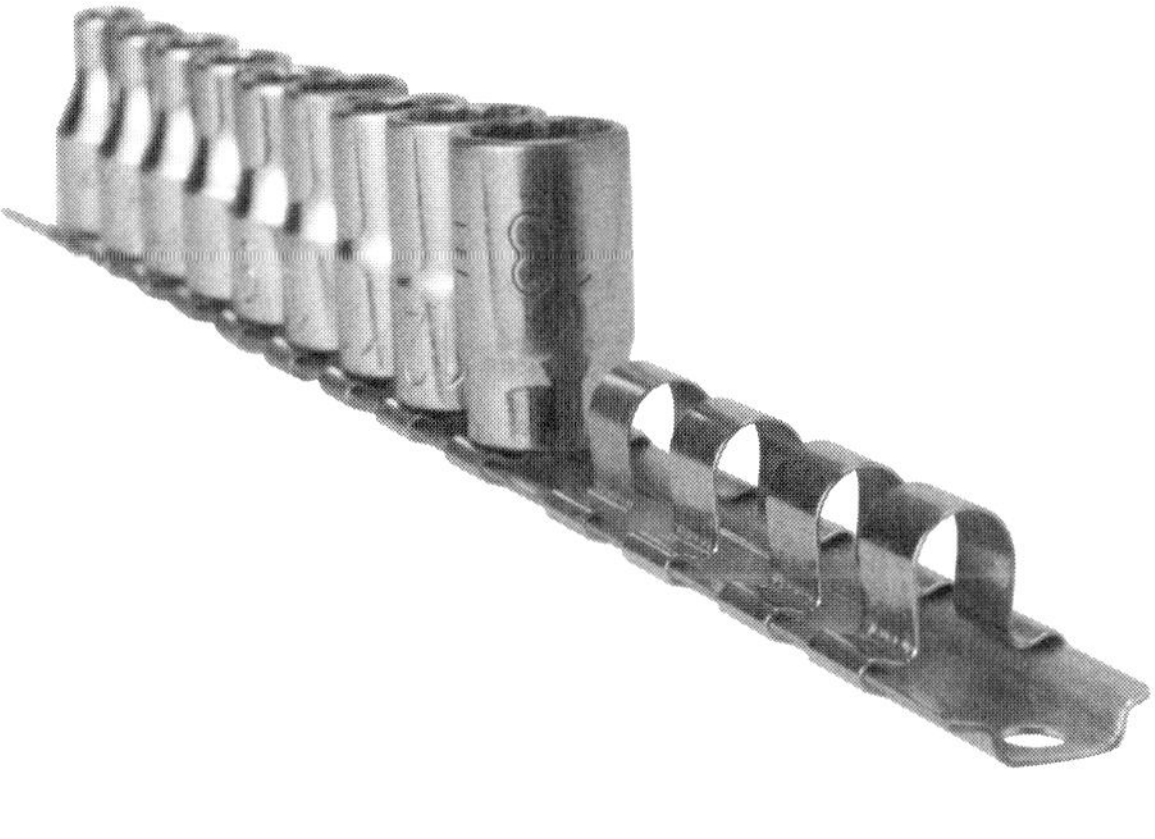

ル遊びを強いられるハメになります。

そこで欲しくなるのがソケットレールです。これは、レールに付けた留め金にソケットをカチッ！とはめて固定しておく、いわゆるソケット収納器具。ソケットを付けた状態は、タコの足に似ています。これならば、逆さまにしてもソケットがバラバラになることはありません。

ここでひとつ、よいソケットレールの選び方をお教えしましょう。まずメッキでギラギラしているものや、留め金にプラスチック素材が使われているソケットレールはダメです。レールは、ソケットが付いた留め金がスライドするように作られています。クロームメッキ仕上げは光っていて美しく見えるのですが、留め金をスライドさせていくうちに、接触部分だけが剥げてしまいます。また、プラスチックはソケットをはめたときの感触にコシがありません。そして、何度も使っているうちに山がすり減ってゆき、ホールド力が落ちてくるのです。

僕の知る限り、ソケットレールは、表面が少しザラついた亜鉛メッキ仕上げのものがベストです。このキメの細かいザラザラ感がミソ。この表面処理のおかげでレールの上の留め金の滑り具合が滑らかになるのです。もちろん、クロームメッキのように剥がれることもありません。

　ということを踏まえるとスナップオンのソケットレールは優秀です。スパナやモンキーレンチなど、スナップオンの工具はキラキラと光るクロームメッキが施されているのが特徴ですが、このソケットレールだけは亜鉛メッキの鈍い光を放っています。おそらく使いやすさを考え、あえてザラザラに仕上げたのでしょう。

　また、留め金の滑り具合だけなく、レールにはめる留め金の精度も高くできています。レールに留め金をはめるときはちょっとだけきついのですが、装着後のフィット感が他ブランドと明らかに違うのです。

　しかし、なにより嬉しいのは、絶妙なソケットの装着感。キツ過ぎず緩すぎず、何度脱着を繰り返してもカチッ！と音を立ててはまります。これはメカニックにとって非常に大事なポイントです。人間の手は2本しかありません。ですから、片手で何かを押さえつつ、もう片方の手だけでラチェットのソケットを交換しなければならない場合があるのです。スナップオンのソケットレールは、片手でもそれほど力を入れずに脱着することができます。キラキラ光るスナップオンの中で、いぶし銀のような鈍い光を放つソケットレール。タダモノではありません。

ティッシュの厚さも測れます
マイクロメーター

目の前にメジャーがあれば、とりあえず測る。分度器があれば、とりあえず机の角に当ててみる。べつに机を切り出して何かを作るわけではないのですが、僕は昔から測るものを手にすると、なぜか、なんでも手当たり次第に測りたくなってしまうのです。

そんな性癖から、次から次へと新しい測定器が欲しくなり、差し金やノギスなど、様々な測る器具を購入。そして、とうとう行き着いたのがこれ、マイクロメーターでした。

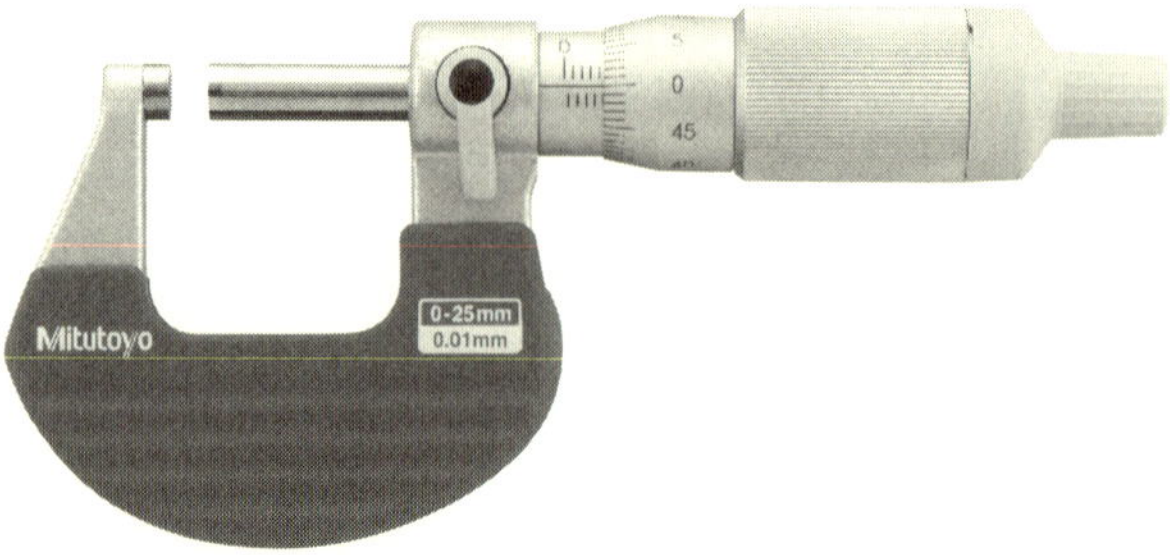

僕たちが目測できるのは、せいぜい0.5㎜単位までだと思います。しかし、マイクロメーターは、そこからさらに50倍の１００分の１㎜まで測ることができるのです。電子式であれば、１０００分の１㎜までだって測ることだってできます。肉眼で見えない世界が、自

分の手で測れる喜びを知ったときの感動といったらもう、当時を思い出すだけで胸が熱くなります。

マイクロメーターのカラクリは、ネジの進みに連動して動く目盛り付き定規や回転計。簡単に言えば、ギアの機構を利用した測定器です。いい測定器は、いまでも木製の箱に入っています。一見、古くさいように見えますが、これは、おそらく木が湿度管理に優れているからでしょう。天秤で使う分銅も、高級なものは木製の箱に入っているものです。

もっともポピュラーなマイクロメーターは、外側25㎜まで測定できるタイプ。クランプを大きく動かす外側のダイヤルを回し、計測したいモノのスレスレまで近づけたら、クランプがゆっくり回る内側のダイヤルを回して対象物を挟みます。クランプで対象物を押しつぶさないように、定圧に達するとラチェットがカリカリという音を立てダイヤルが空回りするリミット機構が付いていますので、測定対象物を押しつぶすドジを踏むこともありません。

しかし、手慣れた職人さんなら、リミット機構を働かせることがないのはもちろん、内側のダイヤルさえ使いません。微調整できない外側のダイヤルだけで、トンッ！と挟み測定します。素人ではとても真似できません。

そんな近代の工業技術を集約したように思えるマイクロメーターですが、1772年にはすでに、あの蒸気機関の実用化を成功させたイギリス人のJ・ワットがマイクロメーターを製作していたのです。『測定器のルーツをたずねて』（宮崎正吉著・ミツトヨ博物館）によると、そのメーターは、すでに138分の1㎜まで測ることができるものだったそうです。1772年といえば、日本は、まだ江戸時代。平賀源内がエレキテル（1776年に完成）を制作している頃、J・ワットは、イギリスで100分の1㎜の世界にトリップしていたわけです。

その後、イギリス、フランス、アメリカなど各国で作られてきましたが、いま世界のトップシェアを誇るのは、ノギスと同様、やはり我がニッポンの測定器メーカー、ミツトヨなのです。世界でのシェアは60％。もはや、そのブランド力は不動のものと言っても過言ではありません。僕は特にナショナリストではありませんが、ミツトヨのマイクロメーターで何かを測っているときだけはニッポン万歳！と心の中で叫んでいます。

と、ここまで書いておきながら言うのもなんですが、マイクロメーターなんてまず使うことはありません。でも、なんとなく測ってみてください。ゴミ袋、ティッシュペーパー、そして、細くなりつつある髪の毛……、意外と楽しいものです。

鉄道ファンにはたまらない

アンビル（金床）

板金加工などに使うH型の作業台がアンビル（金床）です。アンビルは、専用に作られたものもありますが、レールアンビルと呼ばれる廃線になった鉄道のレールを切り出して作ったものもあります。しかし、再利用だからといって別にケチっているわけではありません。

レールは、電車の重量はもちろんのこと、ブレーキングによる摩耗にも耐えられるような良質な鋼で作られています。ですから、非常に丈夫です。金属を加工する作業台としても申し分ありません。また、安定したH型も絶妙。使いやすく、しかも持ち運びの際にもつかみやすいカタチです。

いったいどこの鉄道で使われていたのか……、そんなことに思いを馳せながらレールの上で鉄を叩く。鉄道好きにはたまりません。

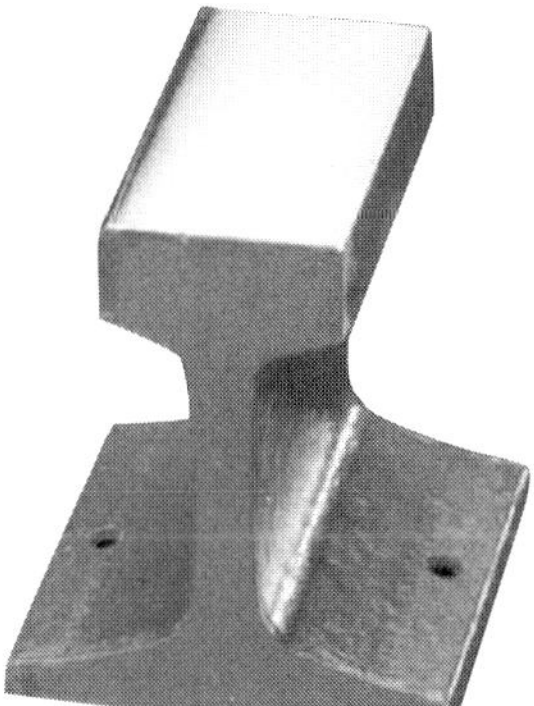

工具入れだけで使うのはもったいない
ツールチェスト

工具を揃えていけば、いずれ必ず欲しくなるのがツールチェストでしょう。いつまでもダンボールに入れておくのはスマートではありません。

とはいえ、ツールチェストはスチール製の工具を満載しても壊れないよう大きく頑丈に作られているため意外とかさばるものです。買ったはいいけれど作業をするスペースがなくなった、なんてことになったら本末転倒ですね。

普通、ツールチェストの上面は使用中の工具を一時的に置いておくのに使いますが、ガレージが狭い場合は上面が作業台になっているものを選ぶのがよいでしょう。

おすすめのツールチェストはベータのスーパータンク（Super Tank）（縦×横＝700×

1100㎜）です。上面が木の板になっていて、万力やアンビルなども設置できるほか、エンジンやトランスミッションなど大きなものも置けます。

もちろん作業台は、頑丈に組まれた専用のものを用意するのがベストですが、ベータのスーパータンクもかなり優秀です。もともと丈夫に作られているうえに、さらに工具を収納すればかなりの重量になるため非常に安定するのです。たとえばスーパータンク（135kg）に工具を満載すれば、軽く250kgは越えるでしょう。これはもう立派な作業台です。

余談ですが、ツールチェストのオプションとして販売されているバイス（万力）もかなり優秀です。バイスの素材は、一般的にネズミ鋳鉄という鉄が使われますが、ベータのバイスには、ダクタイル鋳鉄というネズミ鋳鉄の2倍以上の強度を持つ鉄が使われています。色も、マットなグレーのネズミ鋳鉄に比べて妖しい光沢を放っています。また、バイスを締め込んでいったときの感触も絶妙です。安モノのバイスにありがちなガタガタ感がなく、まるで鉄とは思えないなんとも滑らかな感触で対象物を締め上げていきます。

ツールチェストを買うなら、スーパータンクにバイスを付けて買うのをおすすめします。良いものだけに値段も高くつきますけれど。

ラリー屋さん御用達
ジャッキ

プロのメカニックが使っているジャッキといえば、ゴロゴロと引いて動かすような大きな油圧のフロアジャッキです。ガレージの中に置いてあるだけで、あぁ、この人はメカに強いんだぁと思ってしまいます。

アメリカのＮＡＳＣＡＲなどは軽くて丈夫なジュラルミン製のシルバーに光った油圧のジャッキが使われています。忙しくガレージ内を移動するメカニックにとって、ジュラルミンの軽いフロアジャッキは欠かせません。

アメリカは航空技術が発達しているため、航空機の機体に多く使われているジュラルミンの加工技術に優れています。ジュラルミンのフロアジャッキを買うなら、どんなブランドであれ、とにかくアメリカ製に限ります。

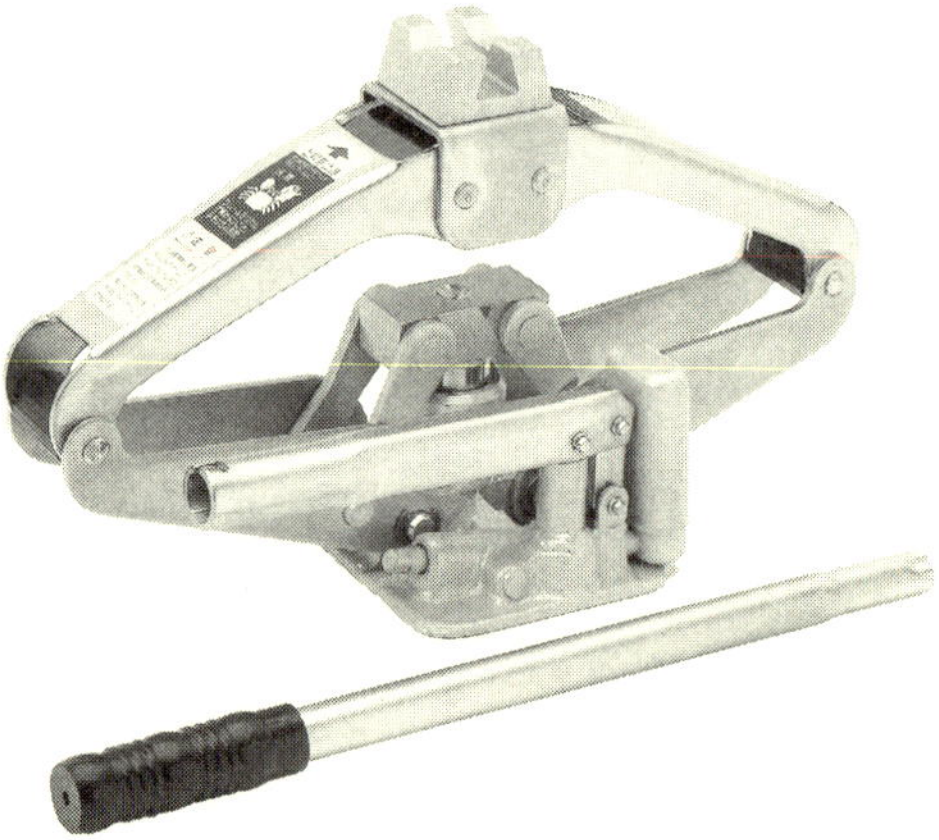

とはいえ、だれもが立派なガレージを持っているわけではありません。狭い共同駐車場で、キラキラと光ったジュラルミンのフロアジャッキを使うのは、むしろ悲しいものがあります。

そんな人はパンタグラフ式ジャッキがいいでしょう。ただし、油圧式です。ネジを締めたり緩めたりする要領で高さを調節する、いわゆる普通のパンタグラフ式ジャッキとは違います。ネジ式と比べ油圧式は持ち上がる時間を倍以上短縮できます。

油圧パンタグラフ式ジャッキは、自動車のショックアブソーバーのサプライヤーとして知られている油圧製品の専門メーカー、ＫＹＢ（カヤバ工業株式会社）製のものがよいでしょう。

カヤバの油圧パンタグラフ式ジャッキは、ラリーメカニック御用達です。ラリーでは、サーキットのように常に平らなコンクリートの上でジャッキアップするとは限りません。ですから、ゴロゴロと引いて使うフロアジャッキだけでは仕事にならないのです。また、クラッシュでヘコんでしまったフェンダーの裏などにこのジャッキを差しこんで、油圧の力で速やかに開くというワザも使うのです。ガレージがあるならアメリカ製のジュラルミン製ジャッキ。なければ、カヤバの油圧パンタグラフ式ジャッキを持つとよいでしょう。

時計職人の愛用工具

ヤスリ

ヤスリの最高峰、って言われても、日曜大工で金属を加工する人なんてあまりいないでしょう。しかし、使わずともとりあえず持っていたいヤスリがあります。

スイスはバローベ社(Vallobe)のヤスリ。世界中の時計職人の御用達工具です。時計職人といえば、ルーペで覗いて見るような細かい歯車をキコキコと削っている姿を思い浮かべます。21世紀なんだから手作業でなくとも機械で作れるではないか、と思うかもしれませんが、現代の工業技術を持ってしても職人の手作業でなければ出せない精度があるのです。そんな時計職人の愛用品と聞けば、たとえ必要がなくても欲しくなるものです。

バローベ社の歴史は1899年までさかのぼります。ウォッチバレーと呼ばれる時計産

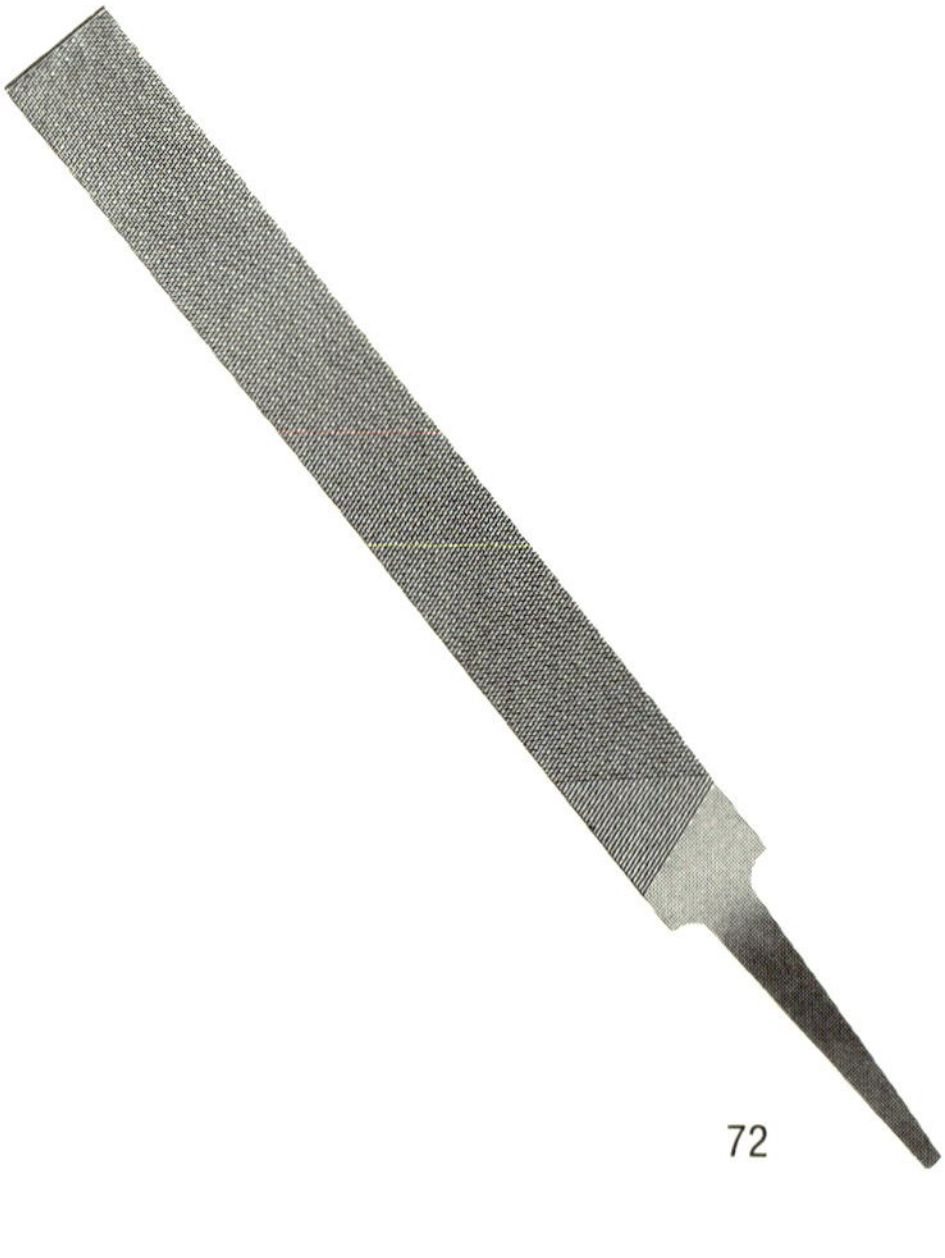

業が盛んなスイスのジュラ山脈近くのバローベ村で、しのぎを削っていた3つのヤスリメーカーが合併して誕生したのがバローベ社。優れたヤスリの製造技術は、この土地柄ゆえに鍛えられたのかもしれません。

もちろん時計の部品作りのような細かい作業ではなくともバローベのヤスリは威力を発揮します。まず、ひと押しで削れる量がほかのヤスリと明らかに違います。そして、目切り（タイヤでいうところのトレッドパターン）の形状が優れているのでしょう、削りカスで目づまりがしづらいのです。ヤスリがけはリズミカルに行うのが肝要で、工業高校の授業でも先生がピッピッピッと笛を吹いて教えることがあるくらいです。ですから、目づまりで作業が中断されないヤスリはいいヤスリといえます。

我が国、日本では、機械組み立てや金属加工などの技能を競う技能五輪という大会があり、1000分の1㎜の精度を競っています。

この大会で、毎年のように金メダルを獲得している自動車部品メーカー、デンソーの技術者もこのバローベのヤスリを使っています。そんな話を聞くと、ますます欲しくなってしまいませんか？ あまり表舞台には出てこない工具ですが、意外といろいろなところで活躍しているのです。

泣きつきたいお助け工具

パイプレンチ

その不格好な鉄の固まりには、繊細なイメージはこれっぽっちもありません。スライドする顎はガタガタで、本当にお前は大丈夫か？　と思わず問いかけたくなってしまうほどです。もしこれがモンキーレンチであれば間違いなく失格でしょう。

パイプレンチは、その名の通りボルトのように引っ掛ける山のない丸いものを回すためのレンチです。主に、配管工事で使われている工具で、俗に〝パイレン〟と呼ばれています。

使い方は至って簡単。モンキーと同様、ターゲットを挟み込んで、少しずつ力を加えていきます。はじめはガタガタですが、力を加えることによって徐々に歯がパイプの腹に食い込みガッチリと食いつきます。50ページで紹介したウォーターポンププライヤーと違い、

２本のレバーを握る必要がありません。回転方向に力をかけることで勝手に捉えてくれるのです。あとはゆっくりと力を込めて回すだけ。逆の方向に取っ手を回せば簡単にはずれます。

おすすめは、日本が誇るハンドツールメーカー、ＫＴＣ。見た目は古くさくて無骨ですが、それだけに信頼性があります。僕が、もう20年も使っているＫＴＣのパイレンは、ターゲットに食い込むギザギザが少々減ってきているのにもかかわらず、今でもガッチリ噛みつきます。力を込める工具は、自分自身が使うことで得た経験こそがいちばん信用できるものです。

パイプを回す機会なんてないじゃん。という声が聞こえてきそうですが、パイレンは、ナットやボルトの山をなめてしまったときに活躍します。山をどんなにいびつに変形させても、パイレンは構わず噛みつきます。失敗したときの最後の手段ですね。ですから、買うならボルトやナットに合う１５０㎜の小さいパイレンがいいでしょう。僕は大きなパイレンも持っていますが、ポルシェのクランクボルト（直径約45㎜）を回すことに使ったくらいです。パイレンに助けられたとき、お前は本当に大丈夫か？　と疑ったことを反省するはずですよ。

ハンダ作業は、ギョーカイ用語でごまかせ

ハンダゴテ

ハンダゴテは、ホーザン（Hozan）に限ります。ホーザンは、電気関係の修理をする人ならば誰でも知っている工具メーカーです。ルーツは１９４５年にスタートした自転車工具製造会社ですが、現在は、電気工事に関する工具を作っており、多くの電気製品メーカーが、ここホーザンの修理工具セットを使っています。商品のほとんどがプロユースのため、ホームセンターではあまり見かけないかもしれませんが……。

特に、セラミックヒーターのハンダゴテ（初めて持つのであれば20～30Wのコテを選ぶとよいでしょう）はおすすめです。熱の立ち上がりが、通常のマイカヒーターに比べて早く、１分も経たないうちに約３００℃に達します。セラミックは強力な絶縁体のため、ハ

ンダゴテを伝って作業部品に漏れる電流が極めて少なく、半導体などを傷めません。

しかし、溶かすハンダがなければ意味がありません。ハンダとは、スズと鉛の混合物です。売られているハンダは、〝太さ0・8㎜、H60〟なんて表示されており、H60は、スズのパーセンテージを示しています。一般的にスズの含有率が多く、溶かしたときにサラッと流れていくものが良質とされています。ギョーカイでは、ハンダの溶け具合を〝ぬれ性〟と言います。〝このハンダ、ぬれ性がいいね〟と言うだけで通に見えます。

うまいハンダ付けとは、完成時に艶があるものです。団子のように丸くなりきっちり付いていないものは、俗に〝芋ハンダ〟と呼ばれ悪い例とされています。

しかし、どんなに上手くてもコテ先がハンダで汚れるのはNG。プロは、常にコテ先をキレイに保っているものです。

とはいえ、そう一筋縄ではいかないのがハンダ付けの難しいところです。そこで、ひとつ飛び道具をお教えしましょう。同じくホーザンの〝ソルダープルト〟という道具です。これは、余分なハンダを吸い取る道具で、溶かし過ぎたハンダをバシュッ！と一瞬で吸い取ります。溶かしすぎたら、バシュッ！　団子になったら、バシュッ！　ゲームのリセットボタンのような便利な道具です。

Q&A　其の二

家庭用に工具を揃えておきたいと思います。いったい何から揃えればよいでしょうか？

とりあえずはじめに揃えておきたい工具を、わかりやすく以下にまとめてみました。

①スクリュードライバー　家庭でもクルマの整備でも、もっともよく使用する工具です。サイズは、精密ドライバーからノミのような大きなものまでありますが、プラスが1番、2番、3番のサイズ、マイナスが先端部分5・6、6・5、8・0㎜のサイズで計6本を揃えておけば十分です。しかし、よいブランドですべて揃えるのは、それなりにお金がかかります。ちょっと予算的に……という人は、ブレードの両端にプラスとマイナスが付いている差し替え式（おすすめはPB）でもいいでしょう。

②モンキーレンチ　これ1本あれば、とりあえずたいていのボルトやナットを回すことができます。サイズは、200㎜以下のものがベストでしょう。しかし、ボルトやナットを回すことが多いクルマの場合は、モンキーレンチの代わりにラチェットセットを買うことをおす

すめします。サイズは、いちばんよく使う8分の3サイズがよいでしょう。

③ラジオペンチ　針金を曲げたり、ボルトをモンキーレンチで回す際に裏側のナットが一緒に回ってしまわないようになど、なにかと役に立つ工具です。根本の部分で電線や針金を切ることもでき、ニッパーの役割も兼ねます。しかし、クルマの場合は、扱う部品が家庭で使うものよりも大きなものがほとんどです。ですから、先の細いラジオペンチのほかにちょっと大きめのプライヤーも用意しましょう。

と、ここまで読んで、それぞれ揃えるのは面倒臭いなぁ……、と思った方もいるかもしれません。でも、くれぐれもスクリュードライバーやスパナ、ペンチなどがゴッソリと入った安モノの工具セットは買わないでくださいね。耐久性もさることながら、ひとつひとつ愛情と苦労を込めて買ったものではないため、どうしても何かひとつは紛失してしまうのです。で、結局また新しい工具セットを買ってしまうという悪循環。まあ、僕の経験談ですが……。

そもそも、スクリュードライバーならPB、ニッパーならクニペックスというように、それぞれ得意分野があります。その用途に優れた工具を選ぼうとすれば、必然的に工具セットには手が伸びません。

3章 ガレージの中はノーガキの宝庫II

やっぱりメガネは優秀です
メガネレンチ

子供の頃、同級生がメガネをかけているのを見ると〝あいつ勉強ができるにちがいない〟と思いこんだものです。マンガでもドラマでも、メガネというのは秀才の記号ですから。

僕は親にねだって銀縁のメガネを買ってもらい、悦に入っていたものです。効果のほどは保証しませんが、カタチから入る、これも重要なことです。

工具の世界にもメガネがあります。レンチにはいろいろな種類があって、〝モンキー〟ことアジャスタブルレンチ、いろいろなサイズに変更が可能なソケットレンチ、片目片口（片方がメガネ、もう片方がコの字になっているタイプ）のコンビネーションレンチ、そして両側がクローズドになっているのが、その形状から〝メガネレンチ〟というわけです。英語では〝オフセットレンチ〟という事務的な名前です

が、なんと、〝メガネレンチ〟は、ＪＩＳの正式な名称なのです。

ドイツのハゼット社（Hazet）のメガネレンチは、セットで持ちたい工具です。表面は梨地仕上げで地味ですが、鈍い輝きが存在を主張し、手に取ると金属なのにしっとりと柔らかく受け止めてくれます。手に付いた油をモノともせずに滑りを止めてくれるのもうれしいですね。しかもショットピーニング（硬い粒子を吹き付けることで表面を硬くする処理）を施すことによって金属の粘り強さを出しているので、ボルトをとらえる穴の強度を落とさずに全体を薄くできるのです。狭いところでも作業しやすい理由はこれです。12角に刻まれた穴は、見えない部分にあるボルトやナットをはずすときも、クリアランスを最小限にとどめながらピタリとドッキングすることができます。

１９５０年代のアルファロメオのエグゾーストマニフォールドを固定しているナット部分は、えらく狭いんです。取りはずす作業をしているとき、国産のメガネは入りませんでした。しかも純正ナットはブラス（真鍮）製で柔らかく、スパナではなめやすい。そこで、ハゼットのメガネを使ってみたところ、簡単に取りはずせたのです。

もちろん、上等な工具を使っても扱い方を誤っては台なしです。ボルトやナットの頭の大きさによって作法が異なるので、覚えておいてください。

12㎜以下のものは、それほどトルクをかけて締められていません。ターゲットにメガネを合わせたら、緩める方向にガタつかない程度に軽く親指でテンションをかけておき、もう片方の手のひらで、エィ！と力を与えます。よそ見しながら手早くレンチで緩める姿は、倒れるほどカッコいいこと請け合いです。

それ以上のサイズは、大きなトルクがかけられている場合が多いので、緩めるときには細心の注意が必要です。大きな力を入れると、加減がきかなくなって力だけに神経が集中してしまい、対象物と工具との関係がおろそかになってしまいます。万が一工具がはずれると、姿勢を崩して大ケガをすることもあります。まずレンチを握り腕を伸ばして、カラダ全体で緩める方向に少し動かします。少しでも緩めば、後は力を抜いて回すだけです。

ハゼットを一番にすすめますが、同じドイツのスタビレーも捨てがたいですね。握ったときのまろやかさは使い込んだ印象を覚えるような仕上げになっていて、良質なバージン鋼を使った繊細な作りです。

ちなみに、初めての僕のメガネはやはりドイツ製でした。いや、顔にかけるほうです。〝ローデンストック〟という老舗のフレームで、重かった印象だけが残っています。残念ながら僕はそのメガネをかけても両親のメガネにかなう成績はとれませんでしたが……。

メカニックのマジックハンド

ピックアップツール

手元のレバーをプシュッと押すと、チューブの中のワイヤーが押し出され先端から3本のツメがニョキッと出てくるピックアップツール。手が入らない狭い場所にあるモノを拾い上げるのに重宝する、マジックハンドのような工具です。

いかにも近年、発明されたアイデア商品のようですが、20年以上も前、海野氏という宮内庁御用達メカニックだった人物が、年季が入ったピックアップツールを使っていたのを見たことがあります。たしか海野氏は「昔、B29の整備をしていたアメリカ人の友人に貰ったんだ」とおっしゃっていました。B29といえば、1940年代初頭にアメリカで作られた爆撃機。ピックアップツールは、60年以上前のアメリカにはすでにあったようです。

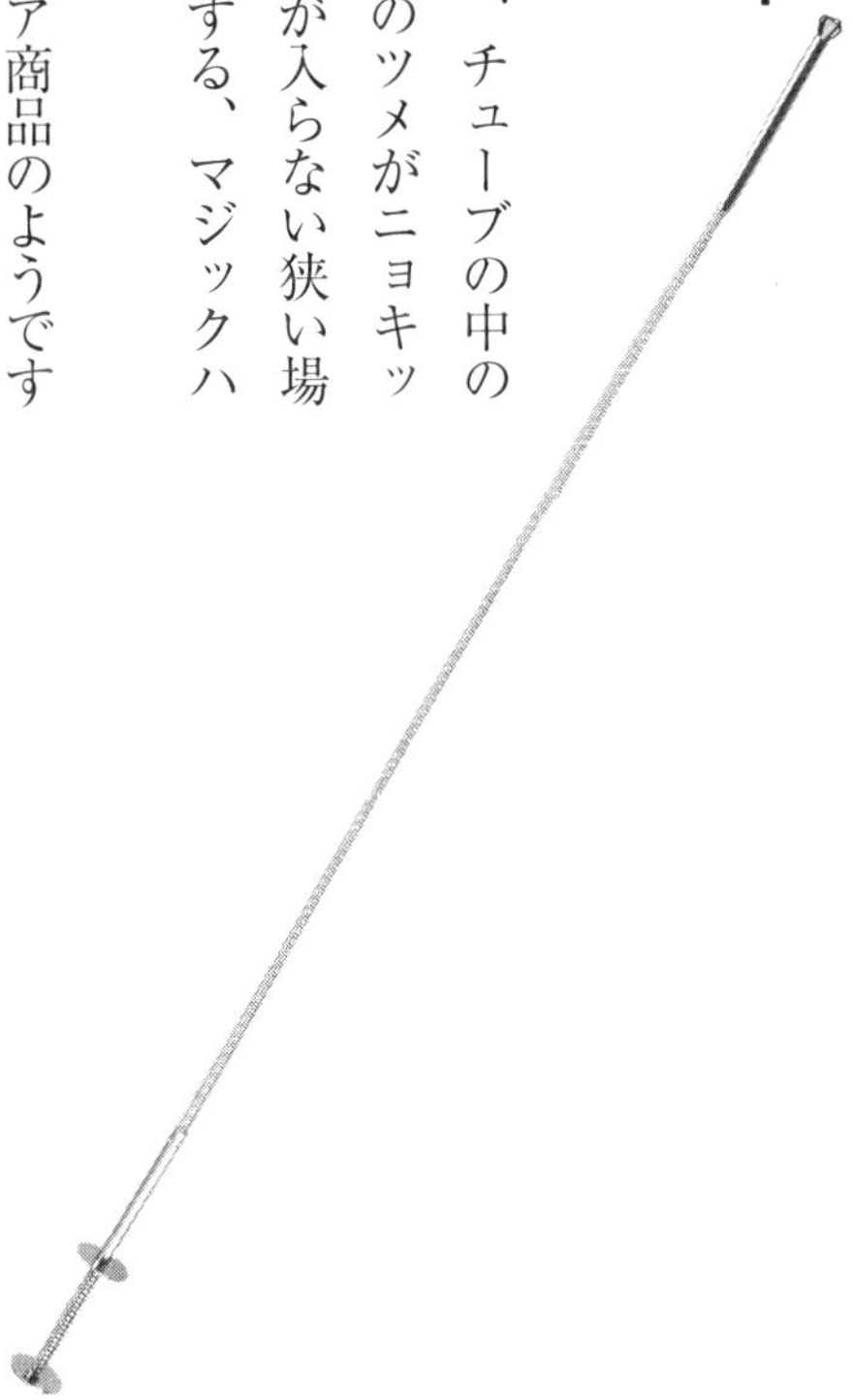

まるで日本刀
金ノコブレード

金ノコは、その名の通り鉄を切るノコギリです。とはいえ鉄のブレード（刃）によって鉄を切るわけですから、ノコ歯は意外と早く丸くなってしまい、切れ味が悪くなってしまうものです。

厄介なのは、木工用のノコギリに比べて歯が非常に細かいため、ブレードが寿命なのかそうでないのかよくわからないこと。金ノコは、一回に引いて切れる量がわずかですから、切れ味が鈍っていることにさえなかなか気づかない場合があるのです。切れていないことに気づかずにギコギコ。実に、マヌケです。

金ノコは、人をマヌケな生き物にする恐れがある工具だけに、絶対によいものを選びたいものですね。ただの一枚の鉄の板にしか見えないかもしれませんが、ノーガキはあるの

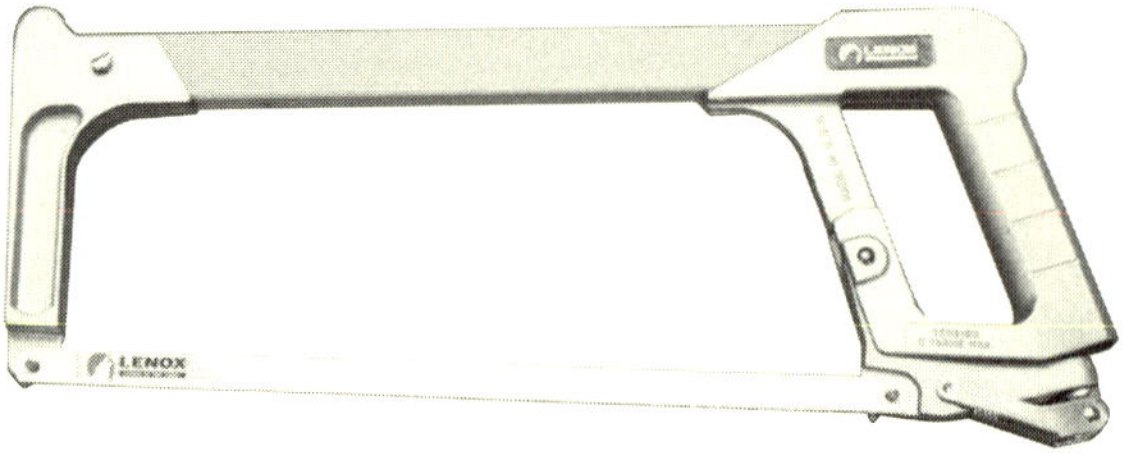

です。

一般的に金ノコのブレードは、ただ焼き入れをしただけの一枚モノがほとんどです。しかし、丈夫な金ノコのブレードは、ブレードの部分と背の部分にそれぞれ異なる素材を使用しています。ブレードの部分には硬い素材を使い、逆に背の部分には柔らかい素材を使うのです。すべてに硬い素材を使わないのは、硬すぎると曲げに弱くなり折れやすくなってしまうからです。理想は、刃の表面だけが硬いことなのです。

アメリカに、「American Saw & Mfg. Company」という、弓ノコ刃ひと筋90年のノコ刃メーカーがあります。〝弓ノコ刃ひと筋90年〟と聞くだけでクラッときてしまいますが、この会社のブランドであるレノックス(Lenox)の金ノコブレードはオススメです。ブレードの部分にコバルトハイス鋼という非常に硬い鋼を、背の部分には逆にバネ鋼という柔軟な鉄を使用しており、それらを電子ビームで溶接しています。

どれくらい柔軟かというと、コの字に曲げても折れないほどです。しかし、ひとたび弓にセットすれば切れ味抜群。柔軟でよく切れる、まるで日本刀のようなブレードです。その切れ味は、他ブランドからも評価されていて、スナップオンにもOEM供給されているほどです。

金属加工の聖地で生まれた定規

直尺

どこの家にも必ずある測定器具といえば〝ものさし〟ではないでしょうか。〝ものさし〟と言っても様々ですが、家の工具箱にぜひ入れていただきたいのが〝直尺(ちょくじゃく)〟。モノ作りの現場には必ず置いてある定規で、職人の間では金尺(かなじゃく)や鋼尺(こうじゃく)とも呼ばれています。

素材は、昔は鋼でしたが、現在ではほとんどが強度の高いステンレススチールを使用しています。スプーンやフォークなどに使われる柔らかいステンレスではなく、たとえばステンレス包丁などの素材となる硬いステンレスです。おすすめのメーカーは、ズバリ、日本が誇るスケールメーカー、シンワ測定の直尺定規。国内の直尺の実に90%以上のシェアを持つという文句なしのメーカーです。

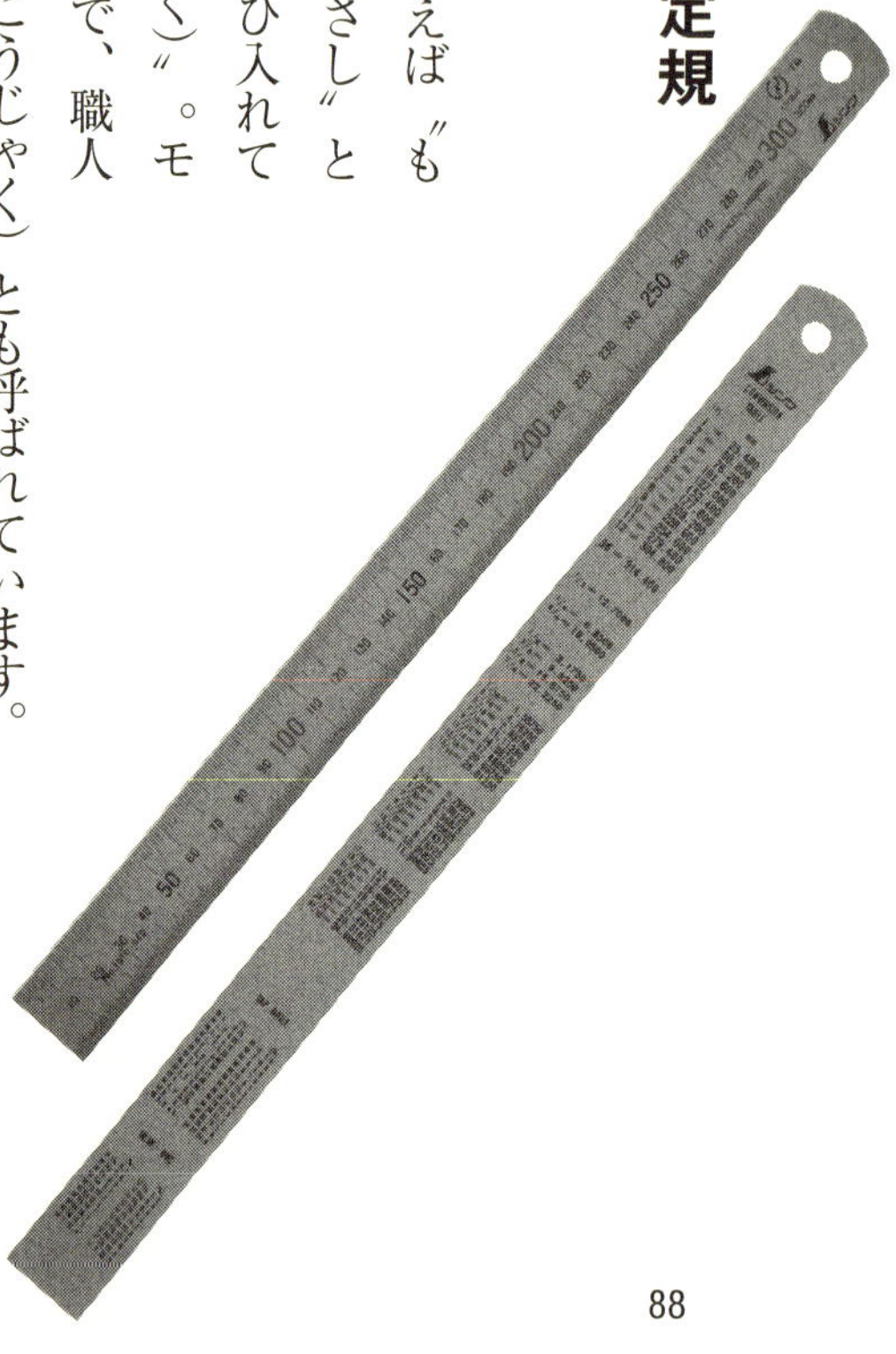

「シンワ測定」のある新潟県三条市は、金属加工の町として知られています。ここは江戸時代、頻繁に水害に遭っていた土地で、その影響で農作業ができない間、農家がクギ作りをして生計を立てていたという歴史があります。そういった理由で金属加工業の町として発展していったのです。シンワ測定の直尺も、そこで生まれました。

シンワ測定の直尺の最大のポイントは、表面をマットな仕上げにしていることです。これはサンドブラスト加工といって、砂のような研磨材を吹きつけてキメの細かいザラついた表面を作る加工法です。キラキラしているほうが高級に見えるかもしれませんが、表面をマットに仕上げるのは、表面の照り返しで目盛りが見づらくなるのを防ぐためです。僕は、30年ほど前のものと、17年ほど前のものを持っていますが、まだマット加工が施されていなかった30年前のモノは、やはり光の中に文字が消えてしまいます。また裏に書いてあるインチと㎜の換算表と、鉄やアルミにネジを切るときに、適した穴の寸法を教えてくれる換算表も意外に便利です。

シンワ測定の直尺には、痒いところに手が届く気の利いた工夫が盛り込まれています。なかなか気付かないものですけれど、シンプルな工具は単純なだけにわずかな工夫で使い勝手がよくなるものです。

油差し一筋90年

オイラー

古い旋盤（工作物を回転させて切削する機械）は、油を垂れ流し状態にしておかないと、ベアリング類がすぐに焼き付いてしまいます。20年前、僕が初めて使った昭和20年代に作られた骨董品のような旋盤も、ドロッとした粘度の高いオイルをこまめにハケで塗りながら使っていたものでした。

そう、ハケでオイルを塗っていたのです。もちろんオイラーもありましたが、実は使うのが怖かったんです。あのころ僕は、一般的なポリ塩化ビニール製オイラーしか知りませんでした。口が細いビニール製のオイラーに粘度の高いオイルを入れると、なかなか思うように出てこないのです。力ずくで押し潰し圧力をかけて出そうとするのですが、容器のフタが圧力ではずれたり、容器が破裂してしまったりす

るのではないかと不安になるのです。容器が手の中で破裂する。想像するだけで恐ろしいではありませんか。

いま、僕はドイツのプレッソル社（Pressol）の金属製ポンプ式オイラーを使っています。金属製ですから、破裂の恐怖に怯えることもありません。

金属製のオイラーは、プレッソルでなくともいろいろなメーカーから発売されていますが、オイラーはプレッソルで決まりでしょう。プレッソルの歴史を見ると、だれもが頷くはずです。なにしろ、１９１４年創業以来90年間、ずっとオイラーだけを作り続けている給油機メーカーなのですから。現在は、グリスガンやジョウゴなどを含め、なんと約２５００種類！ものアイテムをラインナップしています。

カタチは、ノスタルジックなブリキ缶。赤や青など塗装も個性的で、ガレージの片隅にちょこんと置いてあるだけで絵になるオイラーです。カッコだけではありません。オイルがノズルから垂れても缶の周りの溝に溜まるようにデザインされており、手を汚すことがありません。また、給油方式もポンプ式ですのでオイルの量を微調整することができます。しかし、微調整できるだけに、おもいっきり握ると水鉄砲のように吹き出してしまいますから、使いこなすまでちょっと練習が必要です。

フィギュアスケーターのように美しく
ワイヤーツイスター

何も知らない人がワイヤーツイスターを見たら、ペンチになんかヘンな鉄棒が付いてる、ぐらいにしか見えないでしょう。しかし、ひと度その動きを見たら、必ず欲しくなるはずです。

ワイヤーツイスターの先端部分は、いわゆるペンチ。取っ手の間の部分に口を固定するフックが付いていて、お尻にデベソのようなものが付いています。紐状のものを挟んだ状態でデベソを引っぱると螺旋状の棒がニョキニョキと出てきて、それと同時にペンチがフィギュアスケーターのように回転する仕掛けになっています。そう、ワイヤーツイスターはワイヤーや針金を美しく、しかも簡単に縒《よ》ることができる工具なのです！

と気張って語っても、一体何に使うのやらという感じでしょう。日曜大工では、あまり

使う機会はないと思いますが、クルマやオートバイのレースの世界には、欠かせない工具なのです。レース車両は、レース中にボルトとナットが緩むのを防ぐため、〝ワイヤーロック〟を施すことがあります。ボルトとナットに小さな穴を開けて、そこに縒ったワイヤーを通して2つを繋ぎ、縒られることによって発生する〝互いに引っ張る力〟を利用して、ボルトとナットの緩みを防ぐのです。また、万が一ボルトとナットがはずれても、コース上に落とすことがないというわけです。

ワイヤーツイスターには、手動でツイストさせるタイプと、バネの力で放せば戻るオートリターンタイプがあります。ミルバーやスナップオンなど様々なブランドから出ていますが、どのブランドもカタチはほとんど変わりません。たった3社のメーカーが、世界中の各ブランドにOEM供給しているというウワサも耳にします。

オートリターンタイプも便利ですが、僕は手動タイプをおすすめします。僕がお手伝いをしていた、いすゞのラリーチームのメカニックがデベソ部分に付いているベアリングをよいものに換えて、常に滑らかにツイストするように工夫していました。もちろん僕も真似しました。すると、手を加えるからでしょうか、なんとも愛着がわくのです。オートリターンタイプも便利ですが、僕はいまでも手動式を使っています。

プロペラのように手で回す
クロスレンチ

自動車オンチの人でも、タイヤ交換のために使うクロスレンチは知っているでしょう。スペアタイヤのホイールの内径に合わせて備えられていることがある十字型をしたアレです。

十字のそれぞれ先端部分には、４つのサイズのボルトやナットを回せるようにサイズが異なるソケットが付いています。

しかし、自分のクルマのホイールナットのサイズはひとつ。当然、１か所しか使いませんね。でも、クロスレンチが十字をしているのには意味があります。当然のことですが、スパナやラチェットレンチのように片手でおこなうのではなく、両手を使って力をかけられるため、きつく締め付けることができるのです。

とはいっても、やはり残り3つの先端も有効に使いたいものです。クロスレンチを買うなら、4つの先端のうち1か所がラチェットトレンチのソケットが装着できるようになっているものをおすすめします。

しかし、注意がひとつあります。それは、規格のほとんどは2分の1（インチ）サイズ仕様になっているということです。僕たちがよく使うラチェットトレンチのコマは8分の3サイズ。手持ちのサイズのソケットを使うためには、2分の1サイズから8分の3サイズに変換するアダプターを装着しなければなりません。

手持ちのラチェットトレンチのソケットが使えるようになれば、これまでタイヤ交換だけに使用していたクロスレンチの用途が広がります。柄の短いラチェットトレンチでは硬くて回らないボルトやナットを、力をかけやすいクロスレンチで回すことができますね。

最後に優れたクロスレンチの見分け方をお教えします。重要なのは、バランスと手触りです。プロのメカニックは柄の部分を軽く握り、手の中でシュルシュルとプロペラのように回してネジを緩めます。ザラザラとしたヤスリのような手触りではうまく回りません。また、なるべく柄の部分が細身で長いものを選びましょう。長いほど力をかけやすく、細いほど手の中で回りやすいからです。

クセになります
バリ取り

自動車の試作部品を作る機械加工屋さんに通いつめていた20代のころ、僕は、職人さんが加工した金属の面取り（バリ取り）を見るのが大好きでした。金属を削るときに出る、ら旋状の削りカスが妙に美しく感じられたのです。

今でも、この美しい削りカスを作り出す〝バリ取り〟は、お気に入りの工具です。

スクリュードライバーの柄のようなカタチのグリップに、「ピーターパン」に出てくるフック船長の鉤のような小さいフックが付いているシンプルな工具。〝削る〟と聞くと、カンナのように熟練のワザが必要なように思うかもしれませんが、これは至って簡単です。多少、力加

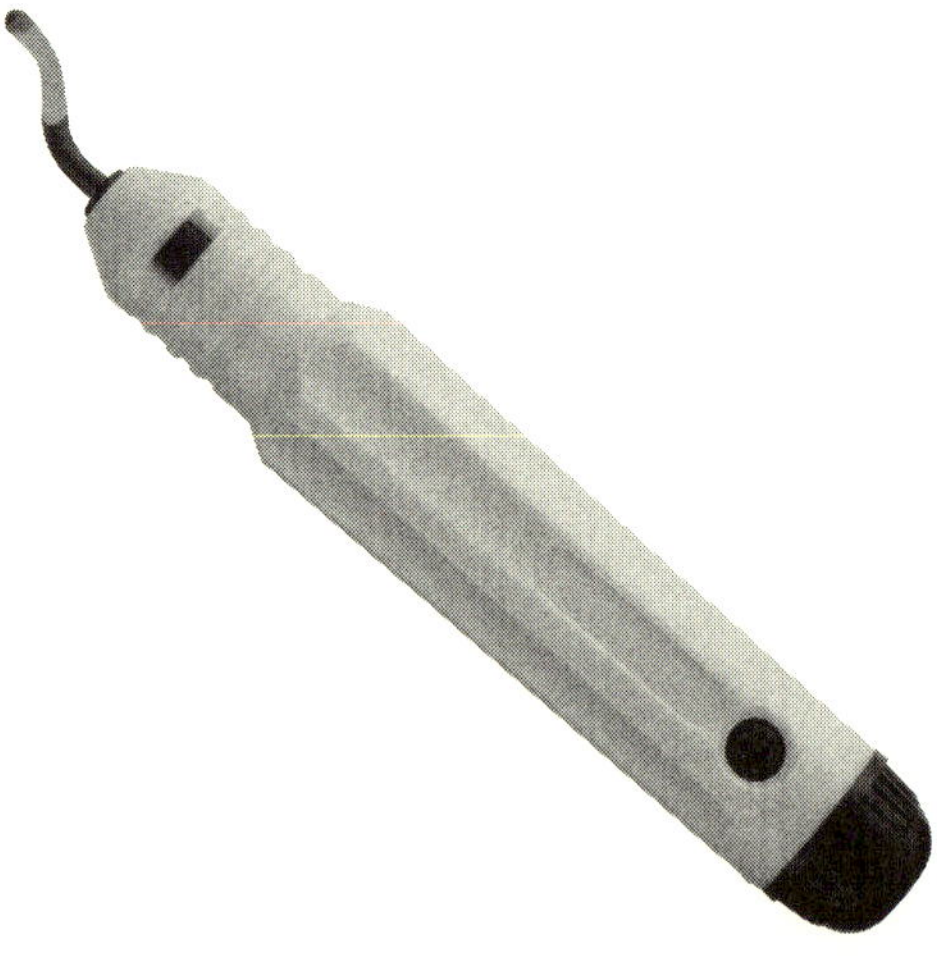

フックの部分を金属の角にあてて、カンナと同じように手前に引くだけです。

減がラフでもきれいに削れます。また、先端のフックは360度回転するため、パイプの内径に沿って削ることもできるのです。

機械加工において面取りは、非常に大切な工程です。鉄板などの切断面は、手を切ってしまうような鋭い切り口になっています。その縁で手を切らないよう最後にバリ取りで角を落とすのです。この作業を済ませなければ、仕事を終えた感じがしません。私はノンスモーカーですが、たぶん食後の一服みたいな感覚なのでしょう。

優秀なバリ取り工具といえば、ノガ・エンジニアリング社(Noga engineering Ltd.)のモノ。プロのメカニック、そして機械加工業者の御用達工具です。

刃物といえば、ドイツのゾーリンゲンを思い浮かべますが、ノガはイスラエルの刃物メーカー。そう、イスラエル製なのです。イスラエルは宝石を研磨する技術において世界一と言われています。特にダイヤモンドについては、なんと80%がイスラエルで研磨されているのです。

ノガのバリ取りにもその技術が生かされているのかもしれません。〝NOGA〟とはヘブライ語で「光り、輝き」の意。まさに世界中のダイヤモンドを削っている国ならではの社名ですね。

いつの時代もイギリス製がカッコいい

消火器

日本消火器工業会によると、一般的な消火器の寿命は5年とされています。消火器は、廃棄せずに中身を交換しますが、幸か不幸かその役目をまっとうせずに終わる場合もあります。「昨日、消火器で消してさー、なんとかボヤで済んだよ」なんていう話は、まだ一度も聞いたことがありません。ですから、実際に消火器のピンを抜いた人も少ないでしょう。消火器のことを聞かれても、なんか粉末がブワーッて出る、くらいの説明しかできませんよね。

消火器は、大きく粉末タイプと、液状タイプの2種類に分けられます。粉末タイプは、一般的によく知られているタイプで、ピンを抜くとピンク色の粉末が噴射されます。この粉末の粒子は非常に細かく、隙間に入ってしまうとなかなか取れません。僕が昔、レース

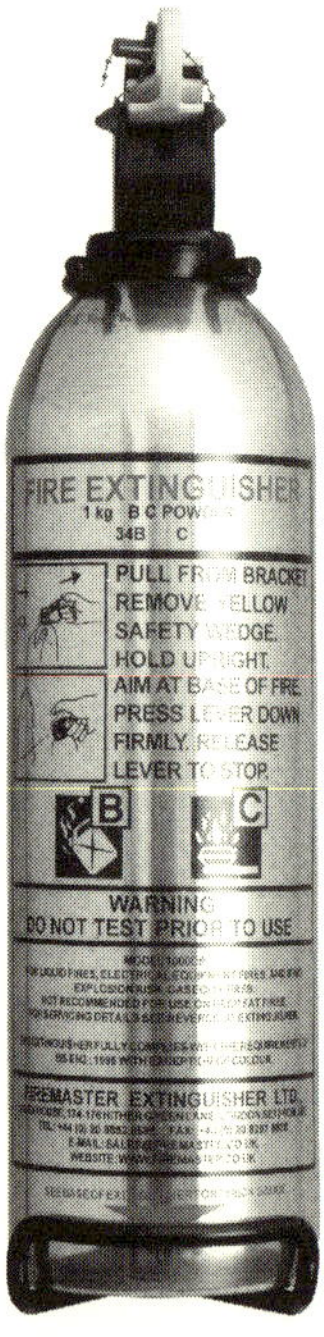

のオフィシャルをやっていた頃、レース中にエンジンから煙が出たことがありました。当然、メカニックが消火器を吹き付けようとします。でも僕は、それを見て思わず「やめろー！」と叫んでしまいました。一度粉末を掛けてしまうと、エンジンの内部に粒子が入り込み、二度と使えなくなってしまうのです。ですから、レース用の消火器は液状タイプの消火剤を使用しているものがほとんどです。

また、レース用の消火器は、私たちがよく見る赤くて重いものではありません。ピカピカに光ったアルミニウム製のボディは、置いておくだけで絵になります。

このアルミニウム製のレース用消火器で、現在、有名なのはファイヤーマスター（Fire Master）やFEVでしょう。僕がレースに関わっていた頃は、ライフライン（Life Line）というブランドの消火器を使っていました。当時はF1でも使われていたほど定番の消火器だったのです。

しかし、ブランドが変われど、いつの時代もイギリス製が有名です。ファイヤーマスターやFEV、ライフラインもイギリス製です。イギリスの長いレースの歴史が消火器の製造技術を磨いたのでしょう。

なお、車載用消火器は、消防法に定められた設置義務のある消火器の代用ができないものもあります。ですから、自宅に飾る場合は、あくまでも補助として……。

一発でキメろ！

センターポンチ

「まず青竹を塗ってケガキをひいて、でもってポンチで印をつけて……」

この言葉をすべて理解できる人は、工作に携わっている人でしょう。これは、金属板にドリルで穴を開けるための工程のひとつです。

まず、〝ケガキをひく〟とは、鉄板などの表面を針で引っ掻いて線を引くことをいいます。確実に鉄を引っ掻くためのこのケガキ針は、必殺仕事人も真っ青の鋭く非常に硬い針です。串のようなシンプルなものありますが、ノック式のボールペンのようなタイプもあります。ボールペンと思いきや、ノックをすると鋭い針がキラリ。針は、タングステンスチール製が丈夫でおすすめです。

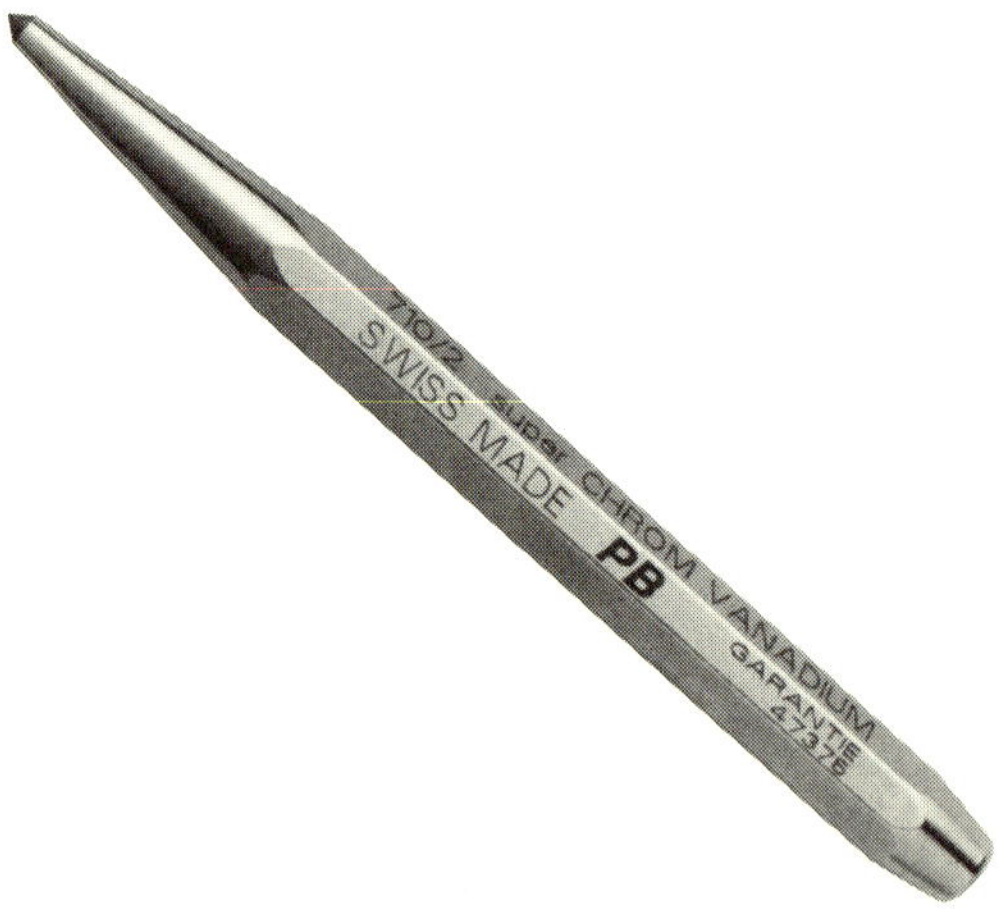

〝青竹〟は、その引っ掻いた線を見やすくするために、金属の表面に事前に塗っておく紺色の塗料のことで、よく〝青ニス〟という商品名で売られています。

最後に〝ポンチ〟とは、センターポンチのこと。穴を開ける際にドリルの刃の先端がしっかりと中心を捉えることができるように、くぼみを付ける道具です。

いったいこれらの何が大事なんだ！と言いたい気持ちはわかります。でも、これらを使った作業を見るだけで、その人のメカニックとしての腕前がわかるのです。センターポンチは、ケガキ針でひいた十字の交差点に打ちますが、重要なのはその穴の深さ。プロは、一発で交差点を捉え、素早く、コツンッ！と一回で印を付けます。くぼみは、深くもなく浅くもなく、いつも一定です。どうせ穴を開けるのだから、べつに深くても浅くてもいいじゃないか、と思うかもしれませんが、職人のウデというのはこういうシーンで判断されるのです。

もちろん道具も大切です。先端がすぐにヘタってしまう安モノでは正確なポイントは打てません。僕の経験から言えばＰＢのセンターポンチは文句ナシです。国産のものに比べて、本当に長持ちしました。ポンチの先端を押しつけるとコツンッ！と自動的に打ってくれるオートポンチもありますが、これは邪道だと思います。

男も刃も中身で勝負

ドリルビット

電動ドリルといえば、モーターのトルクが重要です。しかし、もっと重要なのは、ドリルに装着するビット（刃）なのです。

黒サビのコーティングで強度を保っている安モノのビットでも、一度や二度使う程度なら、まったく問題ないでしょう。

しかし、それらはコーティングが剥がれると途端にもろくなってしまいます。エッジは丸くなり、油断をするとすぐに折れてしまうこともあります。ゴールドのチタンコーティングを施したものもありますが、これも同じです。

ドリルのビットは、素材そのものの強さで選ぶべきです。国産メーカーにも良質なモノがたくさんありますが、ノーガキで勝負するからには、スウェーデンのサンドビック社

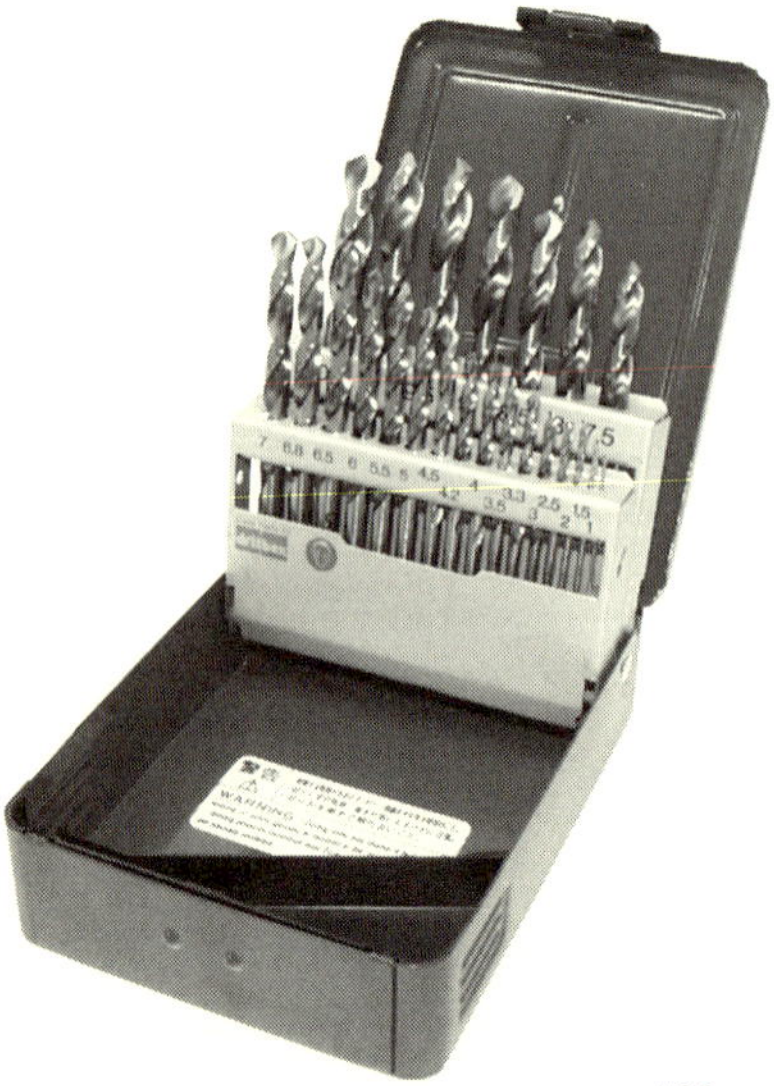

(Sandvik)の刃をおすすめします。サンドビックは、知る人ぞ知るスウェーデンの機械加工用の刃を作るメーカー。良質で非常に硬いスウェーデン鋼の量産化にはじめて成功した会社でもあります。

スウェーデン鋼を使用したビットはたくさんありますが、特にビットに小さくHSS(ハイ・スピード・スチール)という文字が刻印されているものをおすすめします。HSSは、素材にクロムを添加した鋼のことで、一般的に〝ハイス〟(ハイ・スピード・スチール の略)と呼ばれています。摩擦熱による強度の低下に強いことから、高速回転する素材を加工する旋盤などに使われており、ハイ・スピード・スチールという名前も、高回転に耐えられることに由来しています。なかでも素材にコバルト(Co)を入れたものは特に丈夫です。

と、いきなり難しい話になってしまいましたが、簡単に言うと、スウェーデン産の良質な鉄鋼で作ったコバルト入りのハイス製のビット、ということですね。色は、シルバーやゴールドのメッキのようにキラキラと光ったものではありません。シルバーとも黒とも言い難い、鈍い光を放っています。ですから安いメッキのビットと見間違えることもないでしょう。

最高のカバーは寝室にあります

フェンダーカバー

ボンネットを開けてエンジンルーム内の整備をする際に、ベルトやボタンによってフェンダーに傷を付けてしまうことを防ぐために使うのがフェンダーカバー。プロメカニックの必需品です。クルマいじりができなくても、これをフェンダーにかけておくだけででプロっぽく見える不思議なアイテムです。

プロのメカニックとはいえ、うっかり工具を落としてしまうことがあります。しかし、自動車メカニックの場合、そのうっかりが命取り。何千万円もする高級車のボディは、ちょっと小キズが付いただけでもウン十万円コースになる場合があるのです。

ですから、フェンダーカバーに助けられたメカニックは多いはずです。僕はブレーキ液

を垂らしたときに助けられたことがありました。ブレーキ液は、アルコールを主成分にしているだけに塗装を溶かしてしまいます。

フェンダーカバーは、カバー内に内蔵されているマグネットでボディに付けるタイプと、フェンダーの縁に引っ掛けるタイプの2種類があります。マグネットタイプはフェンダーに置いただけでボディにピタッと付くのでズレにくく便利ですが、金属カスや砂鉄を吸い付けてしまうというデメリットがあります。それが原因でボディを守るどころか傷付けてしまうことがあるのです。ですから、縁に引っ掛けるタイプをおすすめします。キズが付かないのはもちろん、フックの延長線上に折り目が付いており、工具を置いてもその溝のお陰で転がり落ちることもありません。これが意外と便利です。

しかし、もっとプロっぽいフェンダーカバーがあります。それは、ウール100%の毛布です。宮内庁のメカニックをしていた海野氏は、フェンダーカバーの代わりに毛布を使っていました。使い込んだ毛布は毛が短くなっているため砂などが付きにくく、しかも水をはじきます。ですから、地面に敷いて使うこともできるのだそうです。

僕も真似して使っていることは言うまでもありません。今は、創業140年の老舗ウールメーカー、ペンドルトン社の毛布を使っています。

プロは小数点以上を省略する

ピッチゲージ

ネジを買いに行くときに、サイズをチェックするのは、ネジの太さと長さくらいでしょう。しかし、もうひとつ測っておかなければならないサイズがあります。ピッチと呼ばれる、ら旋状になっている溝の山と山の間です。

しかし、定規をあてても正確には測れません。そこで使用するのがピッチゲージ。あらかじめ様々なネジのサイズにカットしてあるギザギザをネジで当てるだけでサイズをチェックできるゲージです。優秀なメカニックはみんな持っています。細目になるほど誤差が微妙になってきますので、ゲージをネジにあてたら光が隙間から漏れていないかチェックします。漏れているのは合っていない証拠です。また、プロはピッチが0・8㎜だったら、〝テンハチ〟と小数点以上を省略して言います。

子供の椅子ではありません

ガレージチェア

自動車メカニックの職業病とも言われる病気が腰痛です。足まわりやエンジンルーム内の作業など、クルマで一番、手を入れるのは往々にして地上から40～70㎝くらいのところなのです。つまり、メカニックは、常にツライ中腰での作業を強いられているわけです。

そこで、重宝されるのがガレージチェア。なんの変哲もないタダの椅子に見えるかもしれませんが、メカニックが作業しやすい高さ（約35㎝～）に作られているのです。決して子供部屋から奪ってきたわけではありません。

また、ガレージチェアは、座面の下に工具を置きやすいように、どのブランドのものもコの字形状になっています。

ビビッたら負け
インパクトドライバー

ネジが固く締まりすぎ、にっちもさっちもいかなくなったときに使う最終兵器がこれ、インパクトドライバー。ショックドライバーとも呼ばれています。見た目もゴッツく、持った感じも一般的なスクリュードライバーよりはるかにヘビーです。

このドライバーは、縦方向の力をドライバーの軸の回転エネルギーに変える機構になっています。

固く締まったネジを緩めるのは、回すよりも押す方向に力をかけなければなりません(17ページ参照)。つまり、インパクトレンチは、ヘッドを叩くことによって固く締まったネジ山に押す力と回す力を同時に加えられるのです。コツは、躊躇せずにおもいっきり叩くこと。勝負は一回きり。失敗すればネジ山をナメるだけです。

スケボーでもベッドでもありません

寝板

若いメカニックがスケボー代わりに遊んで、親方によく怒られているのが、この寝板。本来は、メカニックが、クルマの下に潜り込んで作業するときに使います。

単に板にキャスターが付いているだけのように見えますが、実は、体をより低い位置に保つために、寝板をラウンドさせるなどの工夫がされていて、ものによっては地面からたった15㎜くらいしか離れていません。

僕が若いころは、その辺にあるベニヤ板にキャスターを取り付けて寝板にしたものです。現代の寝板には、体にフィットするメッシュ素材や、安眠してしまいそうな作業枕まで付いていますが、僕は、やっぱり木のぬくもりを感じるベニヤ板がいいなぁと思ってしまいます。これって、オヤジでしょうか？

Q&A 其の三

工具の寿命ってどれくらいですか?

僕が20代の頃、海野氏のガレージに通いつめていたことがありました。本文でも少しお話しましたが、海野氏とは、戦後宮内庁のメカニックを務めていた人物です。氏が使っていたスパナは、使い込んで表面が黒光りし、角が丸くなってしまった本当に古い工具でした。僕はそれを見て、「ずいぶん古い工具ですね。いつから使っているのですか?」と訪ねたことがあります。

すると、氏は、

「もう、60年くらいかな……」

と、シレッと答えたのです。最新の工具こそ最良の工具だ、と信じていた僕にとって衝撃の言葉でした。

それ以来、僕は、いい工具はずっと使い続けるようにしています。そして、十数年経ったいま、やっと気付いたことがあります。

それは、使い込むほどどんどん自分好みの工具に進化していくということです。

たとえば、メガネレンチ。使い続ければそれなりにすり減ってくるものです。何度もボルトやナットにハメるたびに縁の部分が丸くなってきます。しかし、縁が丸くなるおかげで、ボルトやナットの山にスムーズに工具をはめることができるのです。

ボルトやナットを回すための大切な山も丸くなっていくのでは？　という不安があるかもしれませんが、ムリな力をかけず大切に使っていれば崩れることはありません。実際に、海野氏は60年間使い続けることができたのです。

なにより嬉しいのは、長く使い続けることによって工具が自分の手になってくれることです。使い慣れた工具の長さやカタチは手が覚えているもの。エンジンルームの奥にあるボルトも手に取るように簡単に回せるのです。

この感覚は、同じ工具を少なくとも3年以上は使い続けないと実感できないかもしれません。でも、がんばって使い続けてください。工具の寿命は使う人次第。使い方によっては、人間以上に長生きします。

4章 小物&ケミカルでもノーガキは語れる

原子力プラントでも使われている

タイラップ

　タイラップは知る人ぞ知るブランドです。えっ、タイラップくらい知ってるって？　いやいや、いまや本物のタイラップを知る人のほうが少ないと思います。

　タイラップはホチキスと同じように、登録商標です。現在では、配線やホースをまとめる使い捨ての結束バンドを称して、すべてタイラップと呼んでいます。しかし、そのほとんどが本家本元のタイラップではありません。では、タイラップとそうでないものとはどこが違うのでしょうか。

　100円ショップやホームセンターなどで売られている結束バンドは、角がささくれだっていいます。俗にいうバリがあるというやつです。値段も安く、使い捨てのプラスチック製品ですから仕方ないのかもしれません。一方、タイラップは角が面取りしてあります。

手にとってみれば、触り心地がまったく違います。

そしてもうひとつ、バンドがロックされる四角い部分がありますが、あそこの造りが決定的に違います。量販店で売っているものは、すべてプラスチックでできていますが、タイラップはそこの部分に金属を使っています。プラスチック製のものは経年変化により、留めている部分が伸びたり、割れたりすることがあり、タイラップのほうが耐久性では優れていると思います。私がレースカーの開発に従事していたときも、メカニックたちはきちんとタイラップを使っていました。

本物のタイラップを使ってコードの束などを締め上げると、そのジリジリッという確かな手応えに驚くはずです。もちろん、普通の結束バンドに比べてかなり値段も張ります。クルマの修理屋さんでタイラップを使うところなんてほとんどありませんが、たまに使っているのを見ると、本物の仕事をしているなと感じます。

ちなみに、タイラップを世に送り出したのはアメリカのT&B社（トーマス・アンド・ベッツ・インターナショナル・インク）です。1958年に航空機製造において使われる複雑なワイヤーハーネスを管理するために開発されたということです。今日では、原子力プラントや化学プラントでの使用に対応するものも作っています。

高品質を示すスウェーデンカラー

ホースバンド

ホースバンドは、スウェーデン鋼を使ったABA製に限ります。スウェーデン鋼とは、102ページでも少しお話ししましたが、スウェーデンで採掘される良質の鉄鉱石とコークスを使って精錬された鋼のことです。単純にスウェーデン産の上等な鋼くらいの認識でいいでしょう。次にABAですが、元を辿れば1896年にまで遡るスウェーデンのメーカーです。世界有数のホース及びパイプのクランプメーカーとして知られています。現在では年間生産量2億個で、特にEU諸国で圧倒的な支持を受けているようです。

さて、このABAのホースバンドのどこがそれほど優れているのでしょうか。その前に、ホースバンドの構造を簡単に説明します。ホースバンドは、ホースを留めるバンド、その

バンドを締めつけるネジ、バンドとネジをつなげるハウジングの3つから成っています。このなかで一番重要なのがバンドです。できのよくないホースバンドは、ホースと直に接触するバンドのエッジ部分が切りっぱなしになっています。これではきつく締め上げれば締め上げるほど、大事なホースを傷つける方向に力が働きます。けれども、ＡＢＡ製のホースバンドはエッジがラウンドというか、アールがつけられているため、ホースは傷つきません。ホースバンドがたとえＡＢＡでなくとも、ここの部分がちゃんとラウンド加工してあるかどうかが問題なのです。

また、ＡＢＡは隅々まで防錆加工が施されています。バンド部の防錆にはアルジンクメッキという特別な処理を施しています。通常の亜鉛メッキと比べて約3倍の効果があるとも言われています。家庭で使うようなホースバンドは、使っていると錆びてしまい、はずすときにはホースに張り付いているなんてことがあると思いますが、きちんとしたホースバンドであればそういったことはありません。要はいいホースバンドは、ホースを傷つけることもなく、錆びることもなく、何度でも使えるというわけです。

最後に、スウェーデン製らしい特徴を。ＡＢＡのホースバンド（スタンダード・スチール製だけ）はハウジング部分が、スウェーデン国旗のカラーである青になっています。

一家に一本、常備しましょう

シリコンスプレー

シリコンスプレーというのは一般の人にはあまり知られていないようですが、クルマいじりをする人ならよく使うアイテムです。

これは一家にひとつあるととても便利なものです。シリコンスプレーとは潤滑剤の類です。ただし、スーパーあたりでも売っている、誰もが知っている潤滑剤とは明らかに違うものです。あれはいわゆる鉱物系の潤滑剤で、ゴムをはじめ潤滑剤が浸透しやすいものには不向き。一度使ってみるとすぐにわかりますが、ゴムなどは硬化してしまいます。

一方、シリコンスプレーはゴムやプラスチックの部分でも使え、非常に潤滑効果が高く、持続性もあります。化粧品にたとえるなら保湿効果があるものと言えばよいでしょうか。

もちろん、金属部分にだって使えます。機械の可動部分から、硬くなって動きが悪くなっ

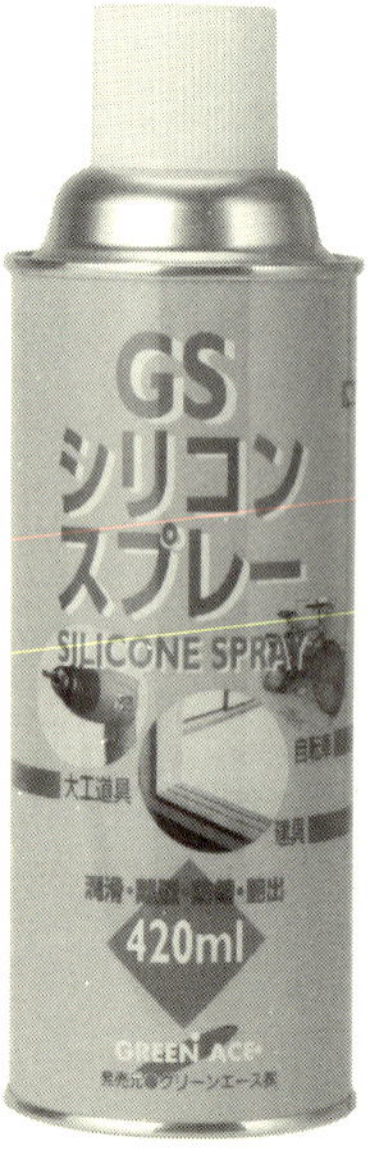

た洋服のファスナーや、引き戸のレールなどにも使えます。

たとえば僕は、クルマの窓枠のゴムの部分にシリコンスプレーを使います。パワーウィンドウの上げ下ろしの際にキュウ～ッと嫌な音がしていたのが、これできれいさっぱり消えます。

ほかにもFF車のドライブシャフトブーツなどに塗布して、滑りをよくしつつ亀裂を防いだり、隙間を測るシックネスゲージや、ネジ山を測るピッチゲージなどに吹き付けるなどして錆を防ぎます。また、シリコンスプレーは、鉱物系の潤滑剤に比べて耐寒性、耐熱性に優れているので、急激な温度変化にもかかわらず威力を発揮します。

これまでこの工具ならどこそこのブランドがいいなどと、いろんなことを言ってきましたが、ことシリコンスプレーに関しては、どこそこ製のがいいというのは特にありません。ホームセンターで売っているようなもので十分でしょう。鉱物系の潤滑剤に比べると少し値段が張るものもあるかもしれませんが、それだけの価値はあると思います。ちなみに、クルマのドアのヒンジなど酷使される可動部分には、シリコングリースというもっと強力な潤滑剤を使うのがいいでしょう。

冷蔵庫で保管しましょう

瞬間接着剤

ご家庭には1本や2本、瞬間接着剤が転がっていると思います。瞬間接着剤といえば、すぐに思い浮かぶのがアロンアルフアですね。1963年に東亞化成工業が、工業用として発売したのがことの始まりで、僕たちが目にするようになったのは、やはり70年代からでしょうか。ジープがウインチでクルマを引っ張り上げて、その接着力（接着するまでのスピードも）をアピールしたテレビコマーシャルを覚えている人も多いと思います。

さて、なぜここでアロンアルフアの話をするかというと、意外にその使い方や使い道を把握していない、もしくは知らない人が多いように感じるからです。

アロンアルフアは、シアノアクリート系と呼ばれる接着剤で、室温で瞬間的に硬化反応を

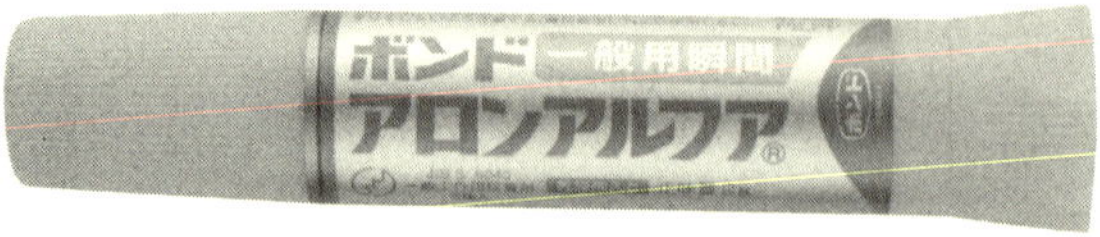

起こして接着します。非常に強力な接着力を持ちあわせますが、接着面が密着するものでないとその効果は発揮しにくいのです。つまり、隙間ができるようなものには不向きなわけで、加えてシアノアクリート系というのは加水分解しやすいため、高温、多湿な環境にも適しません。あと、接着剤が染み込んでしまうような素材（布など）にも向かないでしょう。

使い方としては、うっすら接着剤を垂らすだけでＯＫです。たっぷり塗りたいという気持ちはわかりますが、無駄になるだけです。

あと、メカいじりをする人に覚えていてほしいワザがあります。といっても簡単なことです。たとえばネジ山がダメになったネジを回すときに重宝する使い方で、まずネジ山に接着剤を流します。そしてそこにドライバーを差し込んで固定させれば、ネジ山がダメになっているものでも回せることがあります。似たような使い方で、片手しか入らないような狭い場所にネジ留めをする場合も、接着剤でネジとドライバーを固定すれば、途中でポロリとネジを落としてしまうことがなくなります。

最後に「おばあちゃんの知恵袋」的な話をひとつ。瞬間接着剤は常温で保管しておくと、久しぶりに使おうと思ったときに、フタがこびりついていて面倒な思いをしますね。これに対処するには、冷蔵庫に保管しておくといいですよ。長持ちもしますので。

世界で知られるジャパニーズ・ダジャレ
カッターナイフ

切ることはもちろん、エンジンのガスケットを剥がすなどメカニックにとっては身近な道具なのに、いつどこで購入したのかまったく記憶がない工具が僕の工具箱に入っています。オルファ（Olfa）のカッターナイフ。あまりにも身近な道具なため、意識が向かなかったのでしょう。どことなくフィアット専用オイル〝OLIO FIAT〟のロゴに似ていたからイタリア製なのかなと思っていたのですが……。

しかし、改めてよく見てみると〝OLFA JAPAN〟と書いてあるではありませんか。いや、お恥ずかしい話、オルファが日本製だったということは、購入してしばらく経ってから知った次第です。

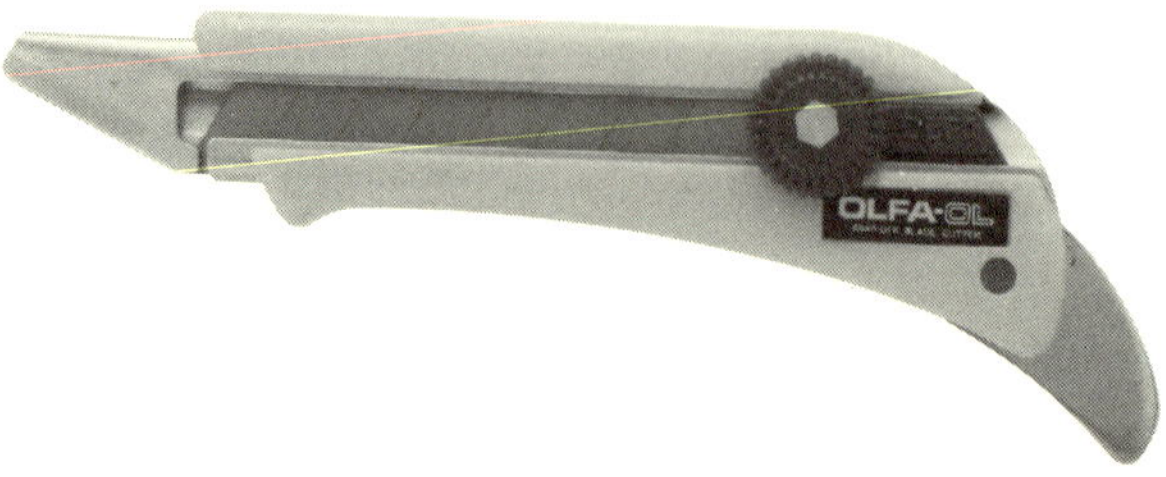

オルファのカッターは、切れ味が悪くなればポキッっと折って新しい刃を出す仕組みになっています。カッターの刃は、みんなそうじゃないか！という声が聞こえてきそうですが、実は、この金太郎飴のような刃の本家本元は、このオルファ。創業者の岡田良男氏が、1956年に折って食べる板チョコをヒントにして作ったのです。〝折る刃〟だからOLFA。はじめは、OLHAを考えていたのですが、〝H〟を発音しない言葉の国もあるからという理由で、OLFAになったとか。

ほとんどのカッターナイフの刃は、同じ材質の工具鋼が使われているため、本家本元と類似品と見分けがほとんどつきません。しかし、ポキッと折ってみればその違いがわかります。なかなかきれいに折れてくれない類似品に比べ、オルファの刃は、ほぼ百発百中、ガイドラインどおりに折れてくれます。

オルファのカッターナイフは、日本市場のシェアの約60％を占めており、海外でも110か国を超える国々で販売されている有名なブランドです。みなさんもご存じロータリーカッター（円盤の縁が刃になっていて、それを転がして切る）も、実はオルファの発明品です。しかし、こんなダジャレのようなオルファの由来を、外国の方々が解明することは、不可能でしょうね。

世界で唯一、日本だけ

工業用石鹸

工場やガレージなど、機械を扱う場所には必ずと言っていいほどある洗剤が工業用石鹸です。一般家庭向けにはほとんど販売されていないため、いったいどんなものなのか想像すらつかない人もいるでしょう。

工業用石鹸は、たいてい5kgや6kgといった単位で売られています。パッケージは無骨な段ボール。商品名、成分表、使用方法などの必要最低限の情報以外は書いていないという非常に硬派なデザインです。中身は、固形でも液体でもありません。粗い粉末状で、色はピンク色がほとんどですが、メーカーによっては青などの場合もあります。

機械いじりの現場で働いていると、手が鉄粉で黒くなったりオイルでヌルヌルになったりします。その汚れた手を一度濡らし、フライの衣（パン粉）を付けるように工業用石鹸

をバフ！バフ！と両面に付けて手をこすり合わせます。すると、粗い粒子が徐々に細かくなっていき、こまめに擦れば最終的には歯磨き粉くらいの粗さになります。この細かい粒子が歯磨きの要領で指紋の奥に入り込み、非常に素早く汚れを掻き出すのです。家庭用の普通の石鹸よりもはるかによく落ちます。

工業用石鹸は、僕たちが普段使っている石鹸に加えてパーライトという成分が含まれているのが特徴です。パーライトとは、固まった溶岩を細かく砕き、それをさらにカラ炒りしてポップコーンのように弾かせたもの。気泡を多く含んだ粉末状の軽石のようなものです。その粉末に汚れを落とす石鹸を混ぜ合わせたと思ってもらえばよいでしょう。気泡が多ければ砕けやすくなり、さらに砕けた気泡の中にあった空気が泡立ちをよくするのです。

メカニックは、この石鹸を手を洗う以外にも使います。たとえばオイルを床にこぼしてしまったときには拭き取らずにこの石鹸を振りかけます。自然と粉末がオイルを吸い取ってくれます。少し時間を置いた後に拭き取るだけでキレイになるでしょう。

ちなみに、この工業用石鹸を製造するユーゲル化学工業に聞いたところ、この製品は日本独自のもので、海外では聞いたことがないそうです。

最安と最高級の手ぶくろ

軍手

日本の旧陸海軍が、軍用にメリヤス生地で手袋を作ったのがはじまりと言われている軍手。現在、その軍手は大きく2つに分けられます。ひとつは、僕たちが知っている白い軍手。そして、もうひとつはリサイクル軍手です。

ホームセンターなどで売っている純白の軍手は綿100%の高級品。一方、リサイクル軍手は、僕たちが知っている衣料品を製造するときに出る様々な色の〝残り糸〟で作られた、いわばコストがかかっていない軍手です。それだけに柄もまだら。10組セットで購入すれば10組の柄があります。

そんな究極にコストを抑えたリサイクル軍手ですが、なかにはかわいいデザインのもの

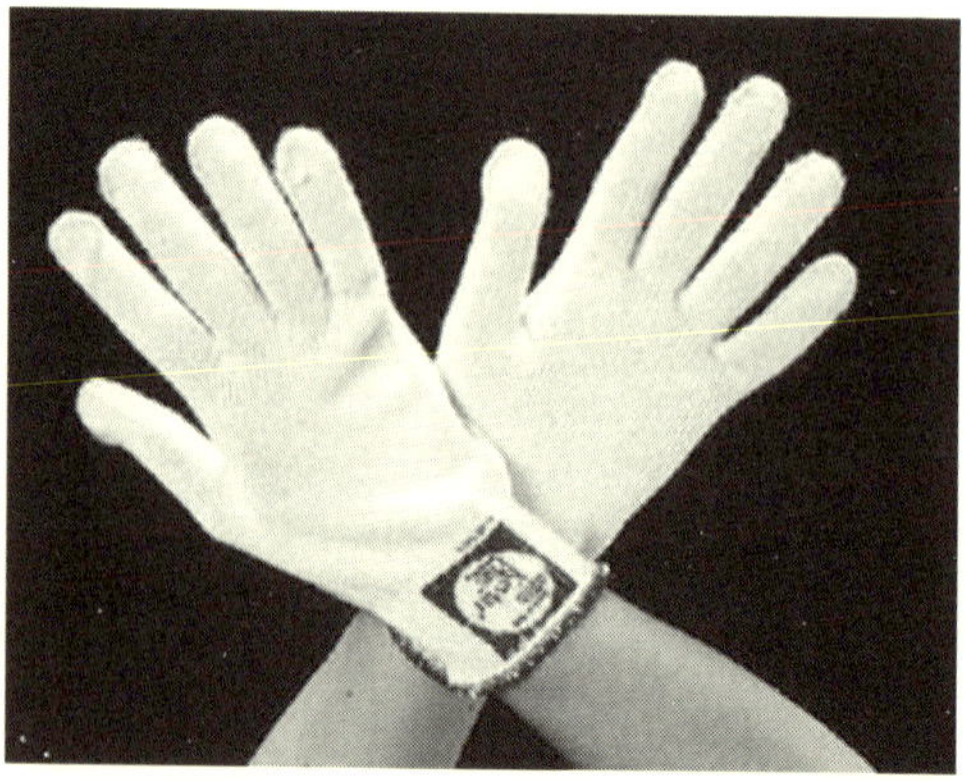

もあります。ちょうどイタリアのデザイナー「ミッソーニ」の段染めニット顔負けの柄があったりして、そんなオシャレな軍手を手に入れると、なんだか得をした気分になるのです。

と熱く語っても、やっぱり軍手は軍手なんでしょうか。一度汚れてしまうと、つい新しいものに手を出してしまう人が多いようです。本当は、新品よりも何度か使用した軍手の方が、がぜん手にフィットして使いやすくなるのですが……。軍手好きの僕としては、極めて遺憾でなりません。

そんな軍手を粗末にする人に、一度でいいから使ってみろ！と言ってやりたい軍手があります。軍手界のロールス・ロイスとでもいいましょうか、とにかく否が応でも粗末に扱えないケブラー軍手です。

ケブラーとは、アメリカのデュポン社が開発したアラミドという合成繊維です。非常に軽量な繊維ですが、強度は鋼のおよそ1・5倍。その強靭さから、現在ではクルマのタイヤや防弾チョッキにも使われています。

それだけに、価格は、安いものでも一組1000円は下りません。あなたは使い捨てできますか？

ボロ切れこそが最高級
ウエス

昔、雑巾といえば使い古した衣類を利用して作ったものでした。しかし、いまやコンビニで雑巾が売られている時代です。ですから、プロのメカニックが使うウエスと聞けば、さぞかし高級な布だろうと想像するかもしれません。

プロが使っているウエス。それは、いわゆるボロきれです。別にケチっているわけではありません。ボロきれこそが最高級のウエスなのです。

プロのメカニックは、使い古した衣服を漂白したものをウエスとして使います。しかも、何度も洗ってヨレヨレになった綿１００％の衣類がベスト。ポリエステルは吸水力が弱いためよいとは言えません。ヨレヨレになったものを使うのは理由があります。何度も洗う

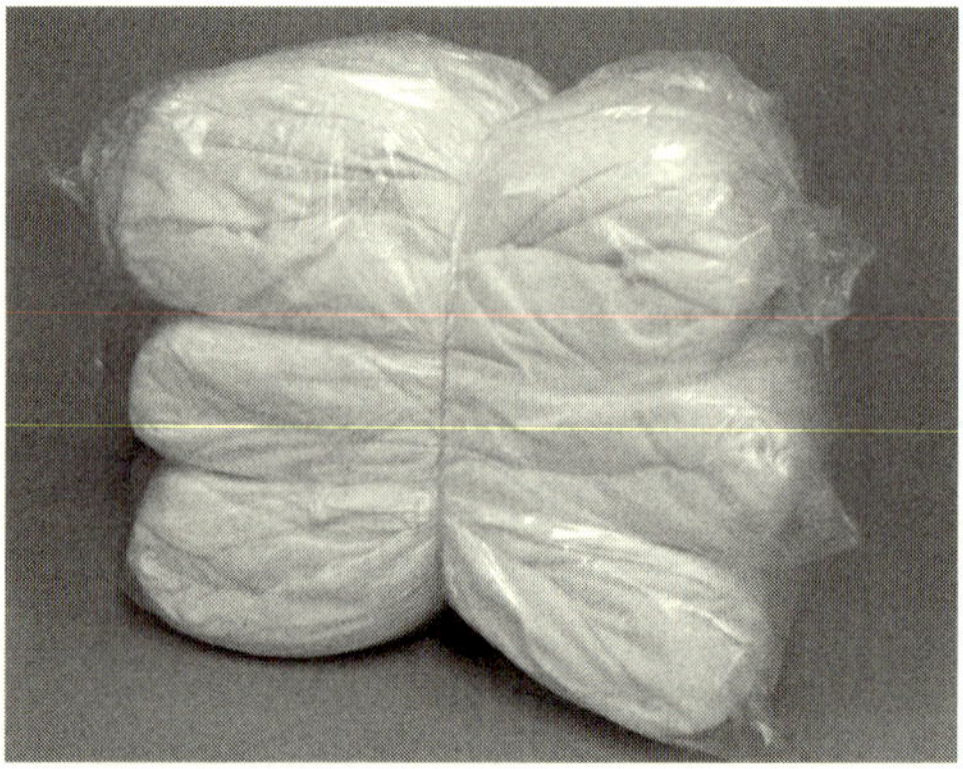

ことによって繊維が絞られ、そのぶん吸水力が増すのです。

また、カーショップに行くと、アメリカ製の赤いコットンタオルが売られているのをよく見かけますが、これらは糸クズがたくさん付いているものが多いのでベストとは言えません。精密機械の天敵である糸クズは洗うことで減るのです。

実はこれらの古着を集めて漂白し、各工場に卸す業者があるのです。kg単位で売られており、Tシャツやカーテン、シーツなどがそのままのカタチのまま段ボールに詰められ売られています。これらを適当なサイズに切り出すのは、工場に入ったばかりの駆け出しメカニックの仕事。Tシャツの繋ぎ目などをうまく避けて、魚を上手におろすように切り出していきます。

安いウエスは、漂白されておらずカーテンやTシャツの柄がそのまま残っているものもあります。やっぱり××のTシャツは吸水力が高いなぁ、なんてジョーダンを言って楽しんだものです。

これらの古着をベースとしたウエスは、カーショップなどではあまり見かけませんが、今ではインターネットで購入することができるようです。もちろん、自宅で作ることもできますけど。

一か所の汚れがプロの証

ツナギ

ツナギの話をする前に、そもそもツナギは、なぜワンピースなのかご存じですか？

それは、ベルトやボタンの金物でボディに傷をつけたり、洋服の裾を引っ掛けたりすることを防ぐため。レーシングドライバーが着ているのも同じ理由です。

とはいえ、レーシングドライバーが着ているツナギと、メカニックが着ているツナギの素材は、まったく別モノです。レーシングドライバーが着ているツナギは、耐火性に優れたノーメックスなどの素材（カートの場合は耐摩耗性に優れたコーデュラなどの素材）。一方、メカニックのツナギは汗をよく吸い取るコットン100％です。

カタチもまったく違います。レーシングスーツは、どちらかというとスリム。それに比

べて、メカニックのツナギはラッパーのようなダボダボのスタイルです。これは、立ったりしゃがんだりといろいろな体勢を取る際に体を締め付けないため。短足に見えてしまいますが、それがプロっぽいともいえます。

しかし、ツナギでカッコをつけるのは非常に難しいものがあります。スパナやスクリュードライバーなどの工具のように〝持っているだけで〟とはいきません。

プロか素人かは着ているツナギの汚れ具合を見ればすぐにわかります。オイルで汚れているほうがプロっぽい！と思いがちですが、これはもってのほかです。オイルが付着していなくても、ツナギ全体が汚れていてはプロとは言えません。スマートに作業をこなしていない証拠です。

プロのツナギは、片膝など一部分だけが汚れているものです。必ず右膝を付くなどのクセで、ある部分だけが汚れているのは構いません。いつも要領よく安定した仕事をこなしている証です。

最後にもうひとつ。プロは使い古したツナギをウエスにします。128ページでも述べましたが、プロが使う最高級のウエスは綿100％。ですから、使い古したツナギもいいウエスなのです。これでツナギも成仏できるというものですね。

足下だけ鉄人
セーフティシューズ

メカニックの作業現場でモノを落とすのは、非常に危険なことです。現場にあるモノはほとんど鉄。ときにはエンジンなど何百kgもある鉄のカタマリを扱わなければいけません。そんなモノを、うっかり足の指の上なんかに落としたら大変です。襖《ふすま》の角にぶつけたとか、ブ厚い本を足の指に落としたくらいのケガではすまされません。別に脅すわけではないのですが、実際に鉄骨などを足の指の上に落として指を失ってしまった例も少なくありません。

ですから、重いモノを扱う作業現場では、セーフティシューズ（安全靴）が欠かせません。うっかりモノを落としても指をケガしないように、つま先に鉄板が入った靴です。

つま先の鉄自体はそれほど厚いものではありませんが、半球状にすることで強度を確保

しています。ＪＩＳ規格で、軽作業（Ｌ）、普通作業（Ｓ）、重作業（Ｈ）とレベル別に耐圧重量が分かれており、重作業では、１５３１kgの重量に耐えられなければならない、と定められています。ちなみに１５３１kgといえば、だいたい３ℓクラスの乗用車１台分の重量（！）です。

そんな（足下だけ）鉄人になれるセーフティシューズを履き潰すと、つま先から鉄板が覗いてきます。現在では、鉄の代わりに軽量な強化プラスチックが使われているタイプが増えていますが、若い頃は、穴の開いたつま先から覗く鉄板が本当にカッコよく見えたものです。

日本におけるセーフティシューズの定番といえば、ミドリ安全でしょう。実際、僕が教鞭を執っている工業高校の生徒も、ミドリ安全製のセーフティシューズを履いています。それだけに信頼性も高いのですが、カッコがイマイチなんです。ファッションではなく作業用と割り切っているため、デザインがおろそかになるのは仕方がないかもしれませんが……。しかし、最近はイタリアのシューズメーカー、ディアドラや、ドイツのアディダスなどのメーカーからも発売されています。どうせ履くなら、街でも履けるものがいいですね。ちなみに、僕はディアドラのものを履いています。

油性は御法度ペン

工具ではありませんが、レーシングメカニックにとってマーカーは欠かせない道具です。部品に合番を付けたり、ボルトを締めた確認の印としてもペンを使います。中字、または太字で、目立つものでなければなりません。メカニックはピンクやイエローなどの明るい色を使います。また、油性は御法度です。油性は素材を侵食し、ゴムなどを溶かしてしまう恐れがあるからです。

よく使われるのは、三菱鉛筆のポスカ(POSCA)。水性のポスターカラーです。どのレースカーのメインテナンス工場を覗いても、なぜかこのペンが使われています。また、これまで何度かメーカーの試作車に試乗する機会があったのですが、試作段階のエンジンやアームなどに付けられている印は、たいていこのポスカで付けられたものでした。

メカニックの切り札
硬化補修剤

プロのメカニックとはいえ、ボルトをキツく締めすぎてカムカバーがヒビ割れてしまったり、なにかの拍子で大切な部品の角を欠けさせてしまったりということがあります。が、そんな致命的とも思える傷をも埋めてしまう魔法のパテがあります。アメリカの Chemical Development Corporation のデブコン (Devcon) です。DEVCONという商品名は、おわかりのとおり社名の頭文字を取ったもの。名前を聞いただけでは一体なんなのかわかりませんね。

デブコンは、要するに硬化補修剤です。主剤と硬化剤の2つを混ぜ合わせると数時間ほどで固まり素材と一体化します。あくまでも緊急時用なので使うことはほとんどありませんが、最後の切り札としてツール箱にデブコンを忍ばせていることが多いようです。

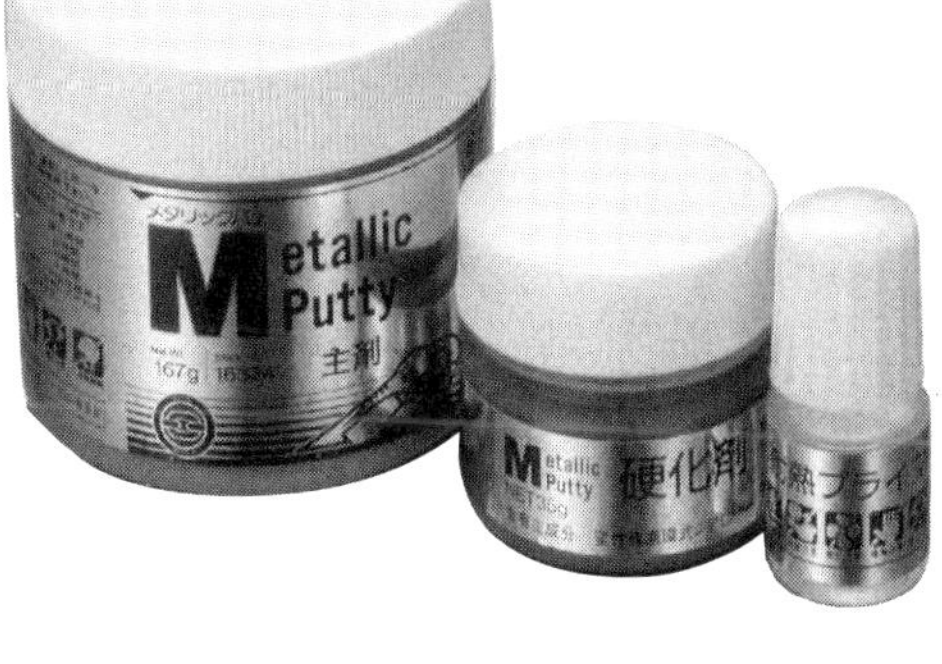

光モノに騙されるな

ボルト

ボルトの素材は、一般構造用炭素鋼と、機械構造用合金鋼に分けられます。強いボルトは、鉄の粒子が緻密な後者で、一般構造用炭素鋼の2倍の強さを誇ります。見た目はシルバーやゴールドなどのメッキが施されている一般構造用炭素鋼に対し、黒染めの鈍い光を放っているのが特徴です。

このほかに、ステンレス製もあります。強度的には、一般構造用炭素鋼と、機械構造用合金鋼の中間くらいですが、腐食に強いというメリットがあります。見た目は、メッキ仕上げの安いネジと見分けがつきにくいのですが、磁石を近づけてみればわかります。ステンレス製のネジは磁石に付きません。もっとも、ステンレス製はどのネジよりも値段が高いため売り場ではすぐにわかりますが……。

紙ヤスリで磨け
シリコンシーリング材

シリコンシーリング材は、ガラスまわりや浴槽の縁などの隙間を埋めているゴム状のものです。防水性に優れているのはもちろん、耐熱、耐寒性にも優れていて、マイナス50～150℃という広い温度範囲でゴムの弾力を保持できます。ですから、自動車メカニックの世界では、熱を帯びるトランスミッションケースのパッキン代わりにシーリング材を打つ（業界用語）ことがあります。

シリコンをならすヘラは、ステンレス製をおすすめします。ヘラはコンクリートなどに押し付けるようにして使うため、プラスチックではすぐに傷が付いてしまい結果的に伸ばしたシリコンの表面にも筋が入ってしまうのです。また、プロは使ったあとにシリコンを拭き取るだけではなく、紙ヤスリでヘラの先端をキレイに磨くほど神経を使います。

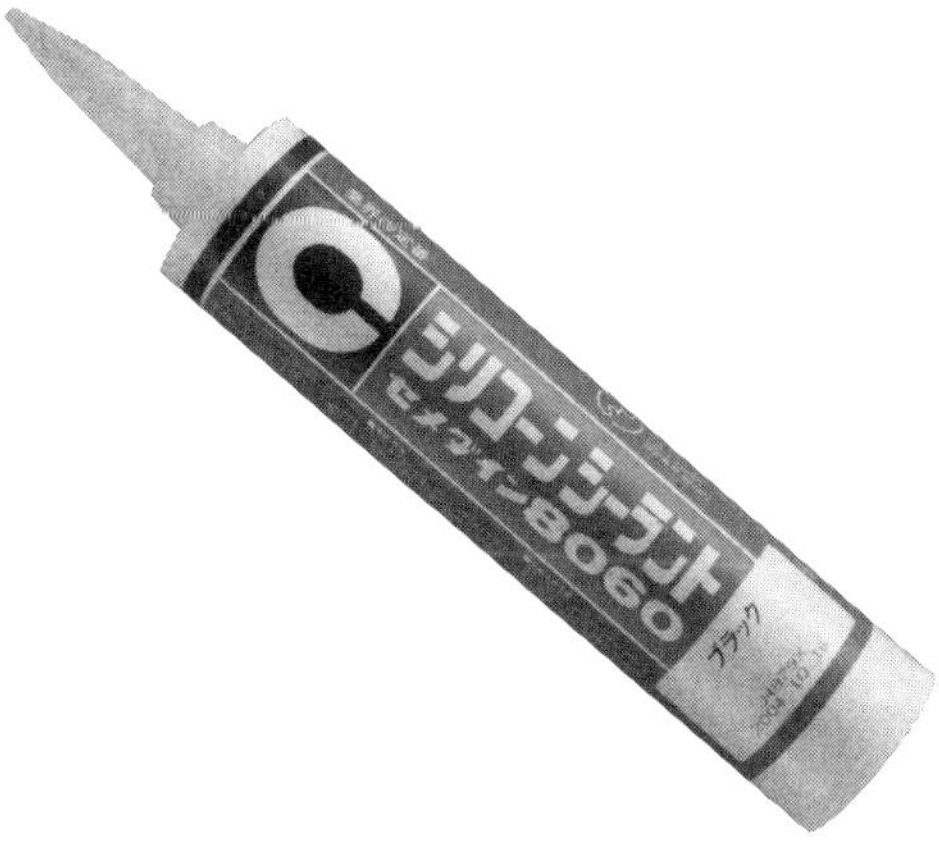

Q&A 其の四

イタリアはデザイン重視。アメリカは大排気量。といったように、クルマにはお国柄がよく表れていますが、工具も国ごとに個性があるのですか？

もちろん、工具も国によって個性が異なります。主要な国ごとに、その特徴をまとめてみました。

アメリカ　スナップオンやマックツールズなど、ピカピカと光ったクロームメッキを施しているブランドが多いですね。しかも、工具の角に丸みを感じるくらいたっぷりとメッキをかけているのが特徴です。しかし、もちろん見た目だけではありません。その厚塗りのクロームメッキで表面の強度を上げているのもアメリカ製工具の特徴です。

ドイツ　よくドイツ車はマジメと言われますが、それは工具にも言えます。表面はメッキ仕上げではなく地味なマット仕上げの工具が多く、しかも、そのマット仕上げが手に馴染むなどすべてが実用に結びついているのです。そんな合理性もドイツ車に似ていますね。イメージカラーも全体的に落ち着いていてマジメさが伺えます。

スイス　スイスといえば時計の国です。ですから、工具も時計と共に発展してきたようです。

たとえば、ＰＢの精密スクリュードライバーや、バローベのヤスリなど時計職人に欠かせない精密工具はスイス製が優れています。

フランス　フランス車は決して剛性が高いとは言えないのですが、工具の精度は高く非常に丈夫です。特にファコムのラチェットは、ギアの部分にガタつきが少なく、精密にボルトの締め具合を感じ取れるようになっています。そういえば、世界中のプロカメラマンの御用達である三脚もフランスのジッツォという、昔、機関銃の脚を製造していたメーカーのものです。縁の下の力持ちというか……、フランスの工具には、とにかくそんな個性を感じます。

イタリア　オシャレの国とよく言われるだけに工具も色鮮やかです。また、細かいことを気にしない国民性と言われますが、工具は非常に精密です。たとえばウザックのトルクレンチは、Ｆ１チームのメカニックや、研究所などでも使われているほどです。ちなみにＦ１の名門であるフェラーリチームのメカニックも、現在、ベータの工具を使っています。

日本　価格のわりに品質が高いのが日本製工具の特徴ですが、残念なことに色気がないと言われています。しかし、それだけマジメと言えるのでしょうか、きっちりとした日本人の性格が出ています。たとえば計測器メーカーのミツトヨは、高い精度が要求されるマイクロメーターで国内市場90％、海外市場でも60％のシェアを占めています。

あとがき

この本は、２００１年に『ＮＡＶＩ』で連載した「メカニック見栄講座」の原稿に加筆訂正を施し、新たに書き下ろしを加えたものです。

「メカニック見栄講座」は、メカいじりができなくても、せめて知識だけでも見栄を張りたいというクルマ好きがいるんじゃないか?という話をきっかけに始まった工具に関するエッセイでした。この連載は短命企画でしたが、読者の方々からたくさんのハガキをいただきました。

この本の構想ができあがったのは、２００４年１月に出版した『カー機能障害は治る』のすぐ後でした。当初の予定では、もっと早く出版する予定だったのですが、遅れに遅れ今日まで引っ張ってしまいました。

僕は、工具に興味を持ち始めてからもう20年になります。はじめは持っているだけで嬉しいという気持ちで、コツコツと良質な工具を揃えていたものです。結局、使いモノにならなかったという失敗もたくさんありました。振り返れば、ずいぶん高い授業料を払ったものです。でも、そんな多くの失敗から工具の良し悪し、ひいてはメカニズムとの向き合い方を学んだのかもしれません。

今回、この本を出版するにあたり、まずは僕に工具やメカいじりを教えてくれたすべての方々に感謝したいと思います。

そして、『NAVI』のスタッフをはじめとする二玄社の方々には本当にお世話になりました。特に、怠ける僕の尻を根気よく叩き、強い意志を持って引っ張ってくれた担当編集の佐藤俊紀さん、装幀・本文デザインを手がけていただいた黒川デザイン事務所さんには心から感謝する次第です。本当にありがとうございました。

松本英雄

写真＝洞澤佐智子
P14、P17、P26、P29、P32、P39、
P52、P55、P61、P88、P96、P114、
P116、P118、P120、P122、P124、
P134、P136、P137

協力
ITWインダストリー株式会社
喜一工具株式会社
株式会社エスコ
株式会社エムエスジャパンサービス
株式会社シー・エス・シー
株式会社スタンレーワークスジャパン
株式会社ミツトヨ
株式会社ファイヤーマスタージャパン
カヤバE&S株式会社
サンドビック株式会社
スナップオン・ツールズ株式会社
日本シイベルヘグナー株式会社
ノガ・ジャパン株式会社
プロテックコーポレーション
ホーザン株式会社

〝ノーガキ〟で極める工具道

通《つう》のツール箱《ばこ》

初版印刷	2005年6月10日
初版発行	2005年6月25日
著者	松本英雄
発行者	渡邊隆男
発行所	株式会社二玄社 〒101-8419 東京都千代田区神田神保町2-2
営業部	〒113-0021 東京都文京区本駒込6-2-1 電話03-5395-0511
URL	http://www.nigensha.co.jp
装幀・本文デザイン	黒川デザイン事務所
印刷	株式会社　シナノ
製本	株式会社　越後堂製本

ISBN4-544-04345-X

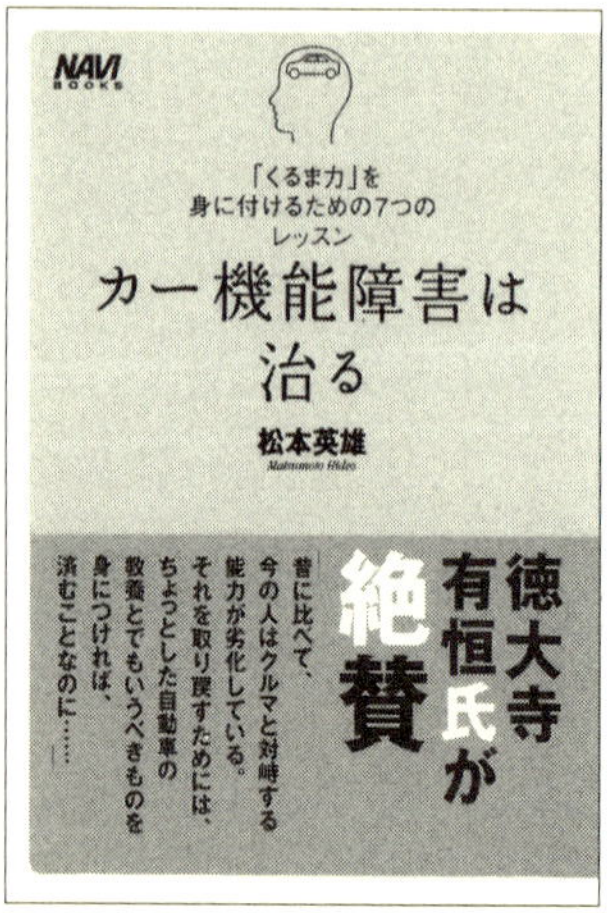

「くるま力」を身につけるための
7つのレッスン

カー機能障害は治る

松本英雄 著

NAVI BOOKS 二玄社
本体価格950円（税別）
四六判 144ページ

『NAVI』『webCG』の
人気連載が遂に単行化。
クルマ生活を送るうえで、
知っていれば得をする、
いざというときに役立つ知識・知恵が
ギッシリ詰まった一冊。